Melanie Axter

**Das Theater der Unterdrückten
Augusto Boals und seine Präsentation
in der Gegenwart**

Melanie Axter

DAS THEATER DER UNTERDRÜCKTEN AUGUSTO BOALS UND SEINE PRÄSENTATION IN DER GEGENWART

ibidem-Verlag
Stuttgart

Die Deutsche Bibliothek - CIP-Einheitsaufnahme:

Ein Titeldatensatz für diese Publikation ist bei
Der Deutschen Bibliothek erhältlich

∞

Gedruckt auf alterungsbeständigem, säurefreien Papier
Printed on acid-free paper

ISBN: 3-89821-123-1

© *ibidem*-Verlag
Stuttgart 2001
Alle Rechte vorbehalten

Printed in Germany

A Inhaltsverzeichnis

1 Einleitung

Boals entwickelte Theaterform des Theaters der Unterdrückten stellt ein zunächst politisch motiviertes Mitspieltheater dar, daß den Zuschauer aus seiner Passivität befreien und zum Handelnden machen will. Durch verschiedenste Anpassungsprozesse hindurch wurden die Methoden des Theaters der Unterdrückten modifiziert sowie die Orientierung des Theaters verändert. Diese Entwicklung aufzuzeigen und sie bis in die Präsentation dieser Theaterpraxis in Erwachsenenbildung und Theaterpädagogik der Gegenwart hinein zu verfolgen, ist der Leitfaden dieser Diplomarbeit. Dabei gehe ich folgendermaßen vor:

In Kapitel 2 wird der theaterhistorische Hintergrund Brasiliens untersucht und der Verlauf des Theaters der Unterdrückten in Verbindung mit der gesellschaftlichen Situation Brasiliens beschrieben. Auch die Modifikation seiner Methoden im europäischen Kontext sowie Boals neueste Theaterform des Legislativen Theaters 1993-1996 werden näher erläutert.

In Kapitel 3 wird das Theater der Unterdrückten mit dem Lehrstück Brechts, dem Psychodrama von Moreno und der Theaterpraxis Armand Gattis verglichen. Überschneidungen und Abgrenzungsversuche sollen die theoretische Zuordnung des Theaters der Unterdrückten erleichtern.

In Kapitel 4 wird die Definition von Theater nach Boal und die Stellung des Zuschauers innerhalb dieser Definition vorgenommen. Seine grundsätzliche Herangehensweise, ausgehend von der Körperarbeit, soll skizziert werden. Ebenfalls dargestellt werden die wichtigsten Theatertechniken Boals sowie deren neueste Entwicklung und Ausdifferenzierung.

Kapitel 5 bindet das Theater der Unterdrückten in erwachsenenpädagogische Konzepte des Lernens ein und Kapitel 6 widmet sich den verschiedenen Ansätzen des Theaters der Unterdrückten in der erwachsenenpädagogischen Praxis.

In Kapitel 7 wird das Theater der Unterdrückten in die theaterpädagogische Diskussion seit den 70er Jahren bis heute einbezogen. Dabei soll untersucht werden, inwieweit sich Boals politischer Anspruch im europäischen Kontext verändert hat oder - auch im Zuge der Ästhetikdebatte innerhalb der Theaterpädagogik- gar seinen Anspruch verliert. Im Resümee werden die Ergebnisse noch einmal gebündelt dargestellt.

2 Theaterhistorischer Hintergrund Brasiliens und der Verlauf des Theaters der Unterdrückten Augusto Boals

Um die Theaterarbeit Augusto Boals in ihrem inhaltlichen sowie methodischen Verlauf zu verstehen, ist es nötig, sie in den gesellschaftlichen Kontext Brasiliens zu stellen und die Geschichte des brasilianischen Theaters seit der Modernismo-Bewegung zu skizzieren.

2.1 Das brasilianische Theater von den 20er bis zu den 50er Jahren

Die Modernismo-Bewegung stellt den Ausgangspunkt für eine Erneuerung des brasilianischen Theaters dar. 1922 organisiert eine Gruppe von Avantgarde-Künstlern die *Semana de Arte Moderna* in Sao Paulo. Sie fordern die Abwendung von der an portugiesischen Moden orientierten, überfremdeten brasilianischen Kultur. Die ästhetische Neuorientierung ist mit der Rückbesinnung auf das eigene kulturelle Erbe verbunden (vgl. Hilger, in: Adler 1991, 65). Es wird kritisiert, daß die brasilianische Kunst darauf beschränkt sei, ausländische Modelle zu reproduzieren. 1928 formulieren die radikal modernistischen Strömungen ihre Forderungen in einem Manifest: Europäischer Realismus und Futurismus sollen übernommen und in eigene kulturelle Ausdrucksformen umgewandelt werden (ebd.). Die Suche nach eigenen kulturellen Ausdrucksformen geht einher mit der Suche nach einer eigenen kulturellen Identität, denn durch die Transkulturation Lateinamerikas durch die Kolonialländer werden Begriffe wie Fremdherrschaft und Abhängigkeit beherrschend (vgl. Adler 1982, 69 ff). Die Modernistas fordern aktuelle Themen, die die Gegenwart Brasiliens widerspiegeln sollen.

Angesichts der realen Situation des brasilianischen Theaters sind diese Forderungen verständlich: Das nationale Theater wird in den Metropolen Rio de Janeiro und Sao Paulo vom „Schauspielertheater" dominiert. Bis in die 50er Jahre ist das am kommerziellen Erfolg interessierte „Star-Theater", daß in den Textvorlagen eine unbedeutende Ausgangsbasis für die Selbstdarstellung des Publikumslieblings sieht, beherrschend. Die Spielpläne von 1920-1950 werden durch Boulevardstücke, *revistas* (Musikrevuen, die dem französischen Vaudeville nahestehen und in denen aktuelle Ereignisse aus Gesellschaft und Politik auf heitere Weise parodiert werden) und vor allem Komödien bestimmt (vgl. Hilger, in: Adler 1991, 67).

Die Weltwirtschaftskrise mit dem plötzlichen Sturz der Kaffee-Preise auf dem Weltmarkt 1929 ruiniert die Kaffeeplantagenwirtschaft, die Basis der brasilianischen Wirtschaft. Es kommt 1930 zur Staatskrise, die in einem Putsch gegen die Oligarchie der *Republica Velha* kulminiert. Getulio Vargas[1] leitet daraufhin eine Wirtschaftspolitik ein, die Brasilien aus der Abhängigkeit von ausländischen Kapitalgebern befreien soll. Die Auswirkungen sind auf der einen Seite eine Steigerung der Industrieproduktion zwischen 1929 und 1937 um 50% und auf der anderen Seite ein enormer Bevölkerungszustrom nach Rio de Janeiro und Sao Paulo. Das dort entstandene, verarmte und politisch unterdrückte Industrieproletariat wird in die *favelas* (Slums) abgedrängt (vgl. Hilger in: Adler, 1991, 68). Diese gesellschaftlichen Veränderungen sind auf brasilianischen Bühnen kaum präsent, denn für die herrschende Klasse, der das Theater als kulturelle Einrichtung vorbehalten ist, hat das Elend der Arbeiter keinen Unterhaltungswert. Eine Ausnahme stellt das *Teatro de Brinquedo* (Puppentheater) von Eugenia und Alvaro Moreyra dar. Sie versuchen ein volksnahes Theater zu erschwinglichen Preisen anzubieten. Die Zielsetzungen der Moreyras haben zwar Berührungspunkte mit den zuvor erwähnten Anforderungen der Modernismo-Bewegung, das Amateurensemble verfügt aber über wenig bühnenspezifische und ästhetische Kenntnisse. 1932 wird in diesem Theater *Deus ihe pague* von Joracy Camargo uraufgeführt. Diese romantische Kapitalismuskritik hat einen großen Erfolg und wird über 3000 mal gespielt. Zum ersten Mal wird Kritik an der bürgerlichen Ordnung auf der Bühne geübt und die Ideologie von Karl Marx thematisiert.

---

[1] Nachdem die konstitutionelle Monarchie Brasiliens die Aufhebung der Leibeigenschaft und des Sklavenhandels fordert, stößt sie auf den Widerstand der Großgrundbesitzer und wird 1889 mit Hilfe der Liberalen

Dieses Stück wird auch zum Ausgangspunkt des sozialen Theaters in Brasilien genommen (vgl. ebd., 69). Auch *Oswald de Andrade* versucht 1933 mit einer Satire (*O Rei da Vela*) politische und soziale Unterdrückung im kapitalistischen System eines Entwicklungslandes zu zeichnen. Es bleibt aber eine Ausnahme in der brasilianischen Dramaturgie der 30er Jahre gegen deren Ende das kommerzielle Theater in eine Sackgasse gerät. Die *revistas* verlieren an Bedeutung, da politische Kritik, wenn auch nur parodistisch verpackt, im *Estado Novo* verboten ist und die Verbreitung populärer brasilianischer Musik zunehmend von den Radiosendern übernommen wird (ebd., 70). Diese Situation begünstigt das Entstehen nichtkommerzieller Amateurgruppen gegen Ende der 30er Jahre, was eine Verlagerung und Dezentralisierung der brasilianischen Theaterlandschaft zur Folge hat. Beispielhaft werden hier folgende Theater erwähnt[2]:

1938 gründet *Paschoal Carlos Magno,* der vor allem als Organisator von Amateur- und Studententheaterfestivals in Brasilien bekannt ist, das *Teatro do Estudante do Brasil* in Rio de Janeiro. Im gleichen Jahr formiert sich die Gruppe *Os Comediantes* ebenfalls in Rio. 1941 gründet *Waldemar de Oliveira* (1900 – 1977) das *Teatro de Amadores de Pernambuco*, das mit ausländischem Repertoire und europäischen Exilregiseuren, die für die Gastinszenierungen aus Rio de Janeiro oder Sao Paulo eingeladen werden, an die Erfolge der großen Theater der beiden Metropolen anzuschließen versucht. Das 1946 in *Recife* gegründete *Teatro do Estudante de Pernambuco* hingegen verschreibt sich einer volkstümlich-regionalistischen Tradition. 1942 gründet *Alfredo Mesquita in* Sao Paulo die Truppe *Grupo de Teatro Experimental*, aus der bei ihrer Auflösung 1948 die *Escola de Arte Dramatica (EAD)* hervorgeht, bis heute eine der wichtigsten Schauspielschulen Brasiliens. In der Philosophischen Fakultät der Universität von Sao Paulo bilden im Jahr 1943 theaterinteressierte Studenten die *Grupo Universitario de Teatre*, die sich ein brasilianisches Repertoire „im

---

und des Militärs gestürzt. Die nun folgende föderative Republik wird im Gefolge der Weltwirtschaftskrise 1930 durch eine Revolution abgesetzt, nach der Gétulio Dornellas Vargas 1937 eine Diktatur schafft.

universitären Geist" zur Aufgabe macht. Brasilianische Theatergeschichte schreiben die *Comediante*, die unter der Regie des Exilpolen *Ziembinski* im *Teatro Municipal* von Rio de Janeiro das zweite Stück des jungen Dramatikers und Journalisten *Nelson Rodrigues* inszeniert. Mit Techniken der russischen und deutschen Avantgarde, einem alle Bereiche der Bühnenpraxis umfassenden Regiekonzept, zeigt *Ziembinski* die Möglichkeiten des modernen Theaters: Teamorientierte Experimentierfreudigkeit, neue Schauspieltechniken, neue Funktion der Beleuchtung und Tonregie, unkonventioneller Text. *Ziembinskis* Inszenierung mit dem Text von *Rodrigues* stellt den Anschluß des brasilianischen Theaters an das Niveau der europäischen Avantgardebühnen und an die in anderen künstlerischen Bereichen schon bestehenden modernistischen Tendenzen dar (vgl. Hilger, in: Adler 1991, 72). Das dramatische Werk des Autors thematisiert z.b.die Auswüchse der großstädtischen Zivilisation, Verbrechen, inzestuöse Liebe, Homosexualität, Rufmord, Skrupellosigkeit der Presse.

Zeitlich endet 1948 die erste Erneuerungsphase des brasilianischen Theaters mit der Eröffnung des *Teatro Brasileiro de Comedia (TBC)* in Sao Paulo. Ein Spielplan, der abwechselnd Theaterklassiker und populäre Komödien anbietet, sichert dem Theatergiganten eine Monopolstellung. Die Zielgruppe ist ein durch die rasche Industrialisierung gewachsenes (neu)-reiches Bürgertum (ebd., 73). Die Vormachtstellung des *TBC* aktualisiert auf der einen Seite in technischer und stilistischer Hinsicht die brasilianische Bühne, andererseits blockiert sie die begonnene Suche nach eigenständigen nationalen Ausdrucksmöglichkeiten.

Erst in den 50er Jahren wächst das Interesse junger Dramatiker an nationalen Themen und aktuellen Problemen der brasilianischen Wirklichkeit wieder an. Sie wollen dem kosmopolitischen Charakter und der Entfremdung des professionellen Theaters von den politischen und sozialen Problemen Brasiliens neue Ideen entgegensetzen (ebd., 77).

---

[2] Hier soll ein grober Abriß der Vielfalt der brasilianischen Theaterlandschaft im Zeitraum Ende der 30er Jahre bis zum Jahr 1948 aufgezeigt werden (vgl. Hilger, in: Adler 1991, 70 ff)

Zusammenfassend läßt sich ein durchgängiger Antagonismus zwischen modernistischen Tendenzen (die sowohl ästhetisch wie auch inhaltlich zu verstehen sind) und der Vormachtstellung eines kommerziellen, am Bürgertum orientierten Theaters feststellen, welches europäische Klassiker und Boulevardtheater anbietet.

2.2 Das Teatro de Arena und die allgemeine politische Situation in Brasilien

Die in den USA beliebte Form des „playbox-theatre" gab dem TBC Anstoß, Experimente mit „Arena-Theater" zu machen (vgl. Thorau, 1982, 6). Gründe für dieses Interesse liegen zum einen in einer künstlerischen Neuorientierung des TBC, eine Art Gegenmodell zum bürgerlichen Ästhetizismus (vgl. ebd.) zu schaffen. Zum anderen werden von Thorau finanzielle Erwägungen für die Schaffung eines kostengünstigen Theaters (vgl. Thorau, 1982, 52 ff) erwähnt, daß einem breiterem Publikum offenstehen soll. Die Zuschauer sitzen, wie in einer Arena, kreisförmig um die Spielfläche, die Illusion der vierten Wand entfällt, das Bühnenbild ist karg, der Einsatz von Technik ist für den Zuschauer erkennbar. Die Distanz der Zuschauer zu den Darstellern ist gering. Zunächst leitet das Arena-Theater José Renato, Student der vom TBC gegründeten Escola da Arte Dramática, welches von ihm auch den Namen, Teatro de Arena, erhält.

Aber erst durch die Übernahme der Leitung des Teatro de Arena 1956 durch Augusto Boal folgt der technischen Innovation auch eine inhaltliche Erneuerung.

Boals Theaterkarriere beginnt bereits 1950 als Bühnenautor. Er schreibt Stücke für das 1945 gegründete Teatro Experimental do Negro in Rio de Janeiro und für die beiden Teatros Experimentals dos Negros in Sao Paulo. Die Mehrzahl dieser Stücke ist nicht erhalten. 1953-1955 absolviert Augusto Boal das Studium der Industriechemie in New York. Gleichzeitig belegt er bei John Gassner an der Columbia University Drama und Regie. Erste Schwierigkeiten mit der Zensur werden schon in den USA beim Spielverbot für sein mit einem Preis ausgezeichneten Einakter *Martin Pe-*

13

scador deutlich (vgl. Thorau, 1982, 8). Augusto Boal schreibt für das „Black Experimental Theatre" Theaterstücke und beschäftigt sich mit Brecht und Stanislawski.

Als Boal 1956 die Leitung des Teatro de Arena übernimmt, verändert er Spielplan und Struktur des Arenatheaters grundsätzlich. Das Arenatheater wandelt sich von der Studiobühne zum Volkstheater und Kulturzentrum. Es besitzt ein festes Ensemble und erstellt in kollektiver Zusammenarbeit den Spielplan (vgl. Neuroth, 1994, 52). Die im Kollektiv erarbeiteten Stücke möchten sich mit den Problemen der Unterschicht nicht mehr nur an Ober- und Mittelschicht wenden, sondern an die Unterprivilegierten, die Landarbeiter und die Analphabeten auf den Dörfern und in den Favelas. Die Mobilität, die nötig ist das Zielpublikum zu erreichen, ist ein neues Kennzeichen des Teatro de Arena unter der Leitung von Boal (vgl. Birbaumer, 1981, 247). Die Gruppe um Boal spielt nun vor den Kirchen, in Zirkuszelten, auf Dorfplätzen, wo man eine große Menge (bis zu 5000 Zuschauer) erreichen kann.

Die Entwicklung des Teatro de Arena muß auch im Zusammenhang mit der Erstarkung der brasilianischen Linken Ende der 50er, Anfang der 60er unter der liberalen Regierung von Präsident Goulart betrachtet werden. Die Studentenbewegung gewinnt an Einfluß, es bilden sich Arbeiter- und Bauerngewerkschaften sowie Volkskulturzentren, deren zentrale Aufgabe die Alphabetisierung der Landbevölkerung und der Favela-Bewohner der Großstädte ist. Nach der Methode von Paulo Freires Pädagogik der Unterdrückten wird Alphabetisierung auch als Politisierung verstanden (vgl. Thorau in: Boal, 1989, 10). Folgt man Thoraus Schilderung (vgl. Thorau, 1982, 12 ff), so steht diese politische Entwicklung unter der Präsidentschaft von Goulart jedoch im Zeichen von Nationalismus und Populismus, die die wirtschaftliche und industrielle Entwicklung und die Unabhängigkeit von den Industrieländern zum Ziel haben. Die Lösung von Klassengegensätzen wird hintenangestellt. Hauptziele der nationalen Befreiung seien Beschränkung der Gewinnabflüsse ins Ausland, Verstaatlichung ausländischer Firmen, Einführung des staatlichen Erdölmonopols, Agrarreform, politische Gleichberechtigung für alle Brasilianer (z.B.

14

Stimmrecht für Analphabeten). Trotz der Einführung des Stimmrechts für Analphabeten stellt sich immer deutlicher heraus, daß die politische Beteiligung des Volkes auf Akklamation beschränkt ist. Hier ist der Ausgangspunkt der cultura popular zu sehen, die ihre Arbeit weit mehr vom Volk kommend sieht als die Regierung (vgl. ebd., 12 ff). Das Ziel der *cultura popular*[3] ist die *conscientizacao do povo* (ebd., 13), die ihren Ausdruck in Paulo Freires Volkserziehung und Augusto Boals Volkstheater findet. Dieses Volkstheater, für das die Lösung von Klassengegensätzen im Vordergrund steht, muß eingebettet in der sozialen Situation Brasiliens betrachtet werden:

> *„40 Prozent der Kinder im Nordosten sterben, ehe sie das erste Lebensjahr vollendet haben, 95 Prozent der Brasilianer leiden an Infektionskrankheiten. Eine Untersuchung des Ernährungswissenschaftlers Nelson Chaves im Auftrag der Ford-Foundation ergab, daß die Anzahl der Kalorien, die ein brasilianischer Bauer täglich konsumiert, gerade ausreicht, um ihn bei strikter Bettruhe am Leben zu erhalten. Dies sind Fakten und Zahlen, die seit vielen Jahren stabil bleiben."* (Thorau in: Boal, 1989, 9)

Mit Freire hat Boal wesentliche Prinzipien der aufklärerischen und pädagogischen Zielsetzung gemeinsam. Die Bewußtmachung „conscientizacao" wird von Freire als ein Lernvorgang definiert, der nötig ist, um soziale, politische und wirtschaftliche Widersprüche zu begreifen und um Maßnahmen gegen die unterdrückerischen Verhältnisse der Wirklichkeit zu ergreifen (vgl. Freire, 1982, 25). Die Pädagogik der Unterdrückten von Paulo Freire, auf die sich das Theater der Unterdrückten bezieht, wird in Kap. 5 näher erläutert.

---

[3] Die cultura popular war die brasilianische Volkskulturbewegung, die hauptsächlich durch die UNE (nationaler Zusammenschluß von Studenten) getragen wurde und aus der eine große Anzahl sogenannter Centros Populares de Cultura hervorgingen, ohne die sowohl Paulo Freires *alfabetizacao* wie Boals *teatro do povo* Theorie geblieben wären (vgl. Thorau, 1982, 14)

2.3 Der Phasenverlauf des Teatro de Arena bis zu den Anfängen des Theaters der Unterdrückten

Das Teatro de Arena führt zunächst Stücke von Steinbeck, Sean O´Casey, Sidney Howard und Brecht auf. Augusto Boal schließt dem Teatro de Arena eine Schauspieler- und Dramatikerwerkstatt an, in der Stücke über die brasilianische Realität geschrieben werden. Es wird nicht mehr auf einer erhöhten Bühne gespielt, der Einsatz technischer Mittel ist sichtbar, das Teatro de Arena ist keine Kultstätte mehr (vgl. Boal, 1989, 11 ff).

Die auszubildenden Schauspieler beschäftigen sich vorwiegend mit Stanislawski und die Dramatikerwerkstatt setzt sich mit Brechts Stücken und Schriften auseinander. Mit dem 1958 erscheinenden Stück *Eles nao usam Blacties* (Weg mit den Krawatten) beginnt die Phase des fotografischen Realismus. Ähnlich dem Cinema Novo werden Themen der brasilianischen Wirklichkeit wie Elend und Korruption dargestellt. Die Zuschauer sind Angestellte und Studenten. Durch die Abstecher in die Stadtrandgebiete und ins Hinterland werden Arbeiter und Bauern angesprochen (vgl. ebd.).

Nach dem Sturz von Präsident Goulart 1964 werden Gewerkschaften und Studentenorganisationen aufgelöst, Redaktionen geschlossen, brasilianische Geistliche vor Gericht gestellt oder verfolgt. Realismus im Theater wird von der Zensur untersagt. Boal und seine Mitarbeiter wenden sich infolgedessen den alten und modernen Klassikern der Weltliteratur zu, die auf Dorfplätzen, Kirchentreppen und Lastwagen aufgeführt werden. Das Teatro de Arena reist in dieser Phase des klassischen Realismus durch die Provinz und es kommt zu Diskussionen im Anschluß an die Inszenierungen, in denen die Zuschauer Veränderungen an Stücken vorschlagen (vgl. ebd.). Zwar führt die staatliche Repression nach dem Putsch 1964 zu einer Verschlüsselung politischer Aussagen, umso entschlossener jedoch versucht Augusto Boal den subversiven Gehalt klassischer Stücke herauszuarbeiten. Der „universale Charakter" der Klassiker soll sich auf konkrete brasilianische Verhältnisse anwenden lassen (vgl.

Thorau, 1982, 22). Machiavellis *Mandragola* z.B. kann angesichts der politischen Verhältnisse Brasiliens zu dieser Zeit als Parabel skrupellosen Machtstrebens betrachtet werden (vgl. Boal, 1989, 13).

Mit dem Stück *Arena conta Zumbi* beginnt die dritte Phase des Teatro de Arena (vgl. Boal, 1979, 167; vgl. Boal, 1989, 13). *Arena conta Zumbi* ist zum einen eine Fabel, die die Geschichte des Negersklaven Zumbi erzählt, der im 17. Jahrhundert die freie Negerrepublik von Palmares gründet, die sich mehr als sechzig Jahre gegen alle Unterwerfungsversuche der portugiesischen Kolonialherren behauptet. Zum anderen werden Zitate aus dem brasilianischen Tagesgeschehen, aus Reden amtierender Politker, musikalisch verdeutlicht, eingeflochten. Wichtig ist die Einführung des Jokers, der den Zuschauern näher steht als dem Stück. Der Joker kann die Handlung unterbrechen, Szenen wiederholen, das Publikum befragen. Eine weitere Eigenschaft des Jokersystems besteht in der Ablehnung der festgelegten Rollenbesetzung und in der Einrichtung der freien Rollenwahl: Jeder Schauspieler kann jede Rolle übernehmen. Boal versucht durch die Einführung des Jokers das alte Problem von Einfühlung und Reflexion zu lösen (vgl. Boal, 1989, 14). Während in der ersten Phase des photografischen Realismus durch die milieugerechte Darstellung sozialkritischer Stücke die Einfühlung des Zuschauers angesprochen wird, liegt in der zweiten Phase der Akzent auf der Analyse der Klassiker und der Herstellung eines aktuellen Zeitbezuges. Der Joker kann die Einfühlung in die dargestellten Figuren durch Kommentare und Erklärungen unterbrechen und sie analysieren und verbindet dadurch die Einfühlung mit der Reflexion (vgl. ebd). Dieser Vorgang ist eine Annäherung von Schauspieler und Publikum. Thorau beschreibt dieses Stück, das einer der größten Bühnenerfolge Brasiliens wird, als Mischform zwischen Historienstück und modernem Dokumentartheater (vgl. Thorau, 1982, 25). Durch den möglichen Rollentausch im Jokersystem kommt es zu einer Lösung des Schauspielers von seiner Rolle. Denn jeder neue Spieler, der diese Rolle übernimmt, bringt eine neue Interpretation in das

Stück hinein. Somit ist das Ergebnis eine kollektive Interpretation jeder einzelnen Figur (vgl. Adler, 1982, 135).

Mit dem Übergang vom Jokersystem zu den ersten Techniken des Zeitungstheaters, einer Technik, die im weiteren Verlauf der Diplomarbeit näher beschrieben wird, gelingt Boal die Fortentwicklung seiner Theaterpraxis. An dieser Stelle könnte der Beginn des Theaters der Unterdrückten angesetzt werden. Boal beschreibt den Vorgang beim Zeitungstheater als „Übereignung des Theaters an den Zuschauer" (Boal, 1989, 14)[4].

Nach dem zweiten Staatsstreich am 13. Dezember 1968 ergreift die Regierung Maßnahmen gegen oppositionelle Gruppen, zu denen das Theater des Augusto Boal mit seinem emanzipatorischen Ansatz gehört. Mit den Techniken des Zeitungstheaters macht Boal die Zuschauer zu ihren eigenen Produzenten. Gleichzeitig rückt Boal immer mehr von den konventionellen Theaterformen ab (vgl. Boal, 1989, 15).

Das Zeitungstheater bleibt die einzige Methode des Theaters der Unterdrückten, die Boal in Brasilien entwickelt, denn 1971 wird er von der brasilianischen Geheimpolizei verschleppt und gefoltert. Nachdem er aufgrund internationaler Proteste nach drei Monaten wieder freigelassen wird, verläßt er Brasilien und lebt in seinem ersten Exil, in Buenos Aires (ebd.).

2.4 Das Theater der Unterdrückten in Lateinamerika

Da es auch in Argentinien nicht möglich ist, sich öffentlich kritisch zu äußern, entwickelt Augusto Boal die Form des Unsichtbaren Theaters (vgl. Neuroth, 1994, 55). Unsichtbares Theater bedeutet Theater, das nicht als solches erkennbar ist und somit einer Zensur ausweichen kann. Es wird an einem beliebigen Ort eine Szene der Unterdrückung gespielt. Damit möchte Boal in der Öffentlichkeit auf politische und gesellschaftliche Mißstände hinweisen, sowie zur Diskussion anregen (ebd.). Die Figur

---

[4] Hier folgt Boal der marxistischen Terminologie, derer sich auch schon Brecht bedient hat.

des Jokers spielt hierbei die Rolle des Aufwärmers, der die Diskussion in Gang bringt, indem er für eine Seite Partei ergreift (vgl. Herzog, 1997, 19). Daß es sich hierbei um eine vorbereitete Szene handelt soll nach Boals Meinung nicht aufgedeckt werden, da ansonsten die Ernsthaftigkeit der Szene verloren geht (ebd.). 1973 arbeitet Boal in Peru in einem Alphabetisierungsprogramm nach der Methode Paulo Freires und beginnt dort sein Statuentheater zu entwickeln. Weil sich die Teilnehmer in einem Alphabetisierungskurs weigern zu sprechen, bittet Boal sie darum, sich mit ihrem Körper auszudrücken. Im Anschluß an dieses Projekt verfaßt Boal die Theorie seines Volkstheaters, das er „Theater der Unterdrückten" nennt (vgl. Boal in: El teatro Latinoamericana de Creatión Collectiva, 1974, 244 ff). Die Bezeichnung wählt Boal in Anlehnung an Paulo Freires Konzept der „Pädagogik der Unterdrückten" (vgl. Neuroth, 1994, 56). Neben dem Unsichtbaren Theater und dem Statuentheater entwickelt Boal in Südamerika das Forumtheater als wichtigste Technik des Theaters der Unterdrückten (vgl. Thorau, 1982, 30). Die erwähnten Methoden des Theaters der Unterdrückten werden in Kap. 4 näher erläutert.

2.5   Das Theater der Unterdrückten in Europa

Nach der Ausreise aus Argentinien entscheidet sich Boal in Portugal zu arbeiten, das er als das lateinamerikanischste Land Europas bezeichnet (vgl. Thorau in: Theater heute 12/1978, 51). In Lissabon gibt er Unterricht an Staatlichen Schauspielschulen. 1978 reist Boal aus Portugal aus nach Frankreich, welches sein drittes Exilland wird. Nach einjähriger Dozententätigkeit an der Sorbonne Paris, gründet er mit Emile Copferman ein Theaterzentrum. Das „Centre d'Etude et de Diffusion des Techniques Actives d'Expression-Méthodes Boal" (*Ceditade*)[5]. Nach einer Umstrukturierungsphase wird das Theaterzentrum 1985 „Centre du Théâtre de l'Opprimé" (CTO) genannt. Boal übernimmt bis zu seiner Rückkehr nach Brasilien 1986 die künstlerische

---

[5] deutsch: Zentrum zum Studium und zur Verbreitung aktiver Ausdruckstechniken

Leitung beider Zentren (vgl. Neuroth, 1994, 56 ff). Ziel ist es, die Techniken des
Theaters der Unterdrückten zu überprüfen, weiterzuentwickeln und in Frankreich
anzuwenden (vgl. Frey, 1989, 10). Boal bejaht die Berechtigung seiner Techniken im
europäischen Kontext, jedoch müssten sie eine Modifikation erfahren. Unterdrükkung stellt sich in Europa anders dar als in Lateinamerika. Sind die Mechanismen,
die Unterdrückung ermöglichen dieselben, so unterscheiden sich jedoch ihre Auswirkungen: Unterdrückung in Lateinamerika wirkt sich in körperlicher Gewalt und
materieller Benachteiligung aus, wohingegen die Unterdrückung in Europa subtilere
Formen annimmt (ebd., 12). Boal beschreibt dies wie folgt:

> *„Wer sagt: „Hier in Europa gibt es keine Unterdrückten", ist ein Unterdrük-
> ker. Frauen, Gastarbeiter, Farbige, Arbeiter, Bauern sagen nicht, hier gibt es
> keine Unterdrückung. Es ist eine andere Unterdrückung, und zu ihrer Ab-
> schaffung sind andere Mittel erforderlich als in Lateinamerika. Das Theater
> der Unterdrückten bietet keine Befreiungsrezepte an, keine vorgefertigten Lö-
> sungen. Theater der Unterdrückten heißt Auseinandersetzung mit einer kon-
> kreten Situation, es ist Probe, Analyse, Suche. Wenn die Unterdrückung subti-
> ler, schwerer durchschaubar ist, dann müssen auch die Mittel zu ihrer Be-
> kämpfung subtiler sein" (Boal, 1979, 68).*

Boal umschreibt die Form der subtilen Unterdrückung in Europa mit Begriffen wie
Beziehungslosigkeit, Isolation, Einsamkeit, Lebensangst, Probleme der Konsumgesellschaft. Für diese Form der Unterdrückung reichen die Techniken aus Lateinamerika nicht mehr aus (vgl. Frey, 1989, 10 ff). So entsteht u. a. die „Polizist im Kopf"-
Technik. Der Polizist im Kopf repräsentiert eine Art Selbstzensur, eine verinnerlichte
Unterdrückung, die befreiende Aktionen oder Handlungsalternativen bereits mental
ausschließt (vgl. Frey, 1989, 13). Frey beschreibt dies weiter als gesellschaftlich eta-
blierte Autorität, die sich über die Erziehung in das Unterbewußtsein abgelagert habe
und zu Angst und Handlungsunfähigkeit führe (vgl. ebd.). Für die Theaterarbeit Augusto Boals in Europa bedeutet dies eine inhaltliche Verlagerung der Schwerpunkte
des Theaters der Unterdrückten vom politischen in den psychosozialen Bereich (vgl.

20

ebd.). Die introspektiven „Polizist-im-Kopf"-Techniken werden oft in Verbindung gebracht mit dem klassischen Psychodrama von Jarov Levy Moreno, da sie ähnliche Arbeitsformen (Spiegeln, Doppeln, Rollentausch; vgl. Thorau, 1982, 130 ff) beinhalten. Zu Beginn wehrt sich Boal gegen eine derartige Zuordnung, da er zunächst der Meinung ist, daß das Psychodrama den Menschen lediglich an die gesellschaftlichen Zustände anpasse (vgl. Feldhendler, 1992, 95 ff), korrigiert diese Auffassung später jedoch (vgl. Groterath, 1994, 73 ff). 1988 stellt er der Internationalen Gruppentherapiekonferenz seine neuesten Techniken vor und steht seitdem in regem Austausch über die Entwicklungen des Psychodramas mit der Witwe Morenos (vgl. ebd.). Gemeinsamkeiten und Unterschiede von Psychodrama und dem Theater der Unterdrückten stellt Daniel Feldhendler in seinem Buch „Psychodrama und Theater der Unterdrückten" ausführlich dar (vgl. Feldhendler, 1992, 58 ff).

Das CEDITADE, das von 1979 – 1985 besteht, bietet neben gezielten Interventionen und Forumtheateraufführungen ständig Workshops und Arbeitsgruppen an. Einwöchige Informationsworkshops werden für Organisationen, Vereine und Einzelpersonen, die Interesse am Theater der Unterdrückten haben, durchgeführt. Differenzierte Workshops behandeln entweder nur eine Technik oder werden gezielt für eine bestimmte Zielgruppe konzipiert (Lehrer, Therapeuten, Animateure). Diese Workshops werden sowohl von Boal selbst als auch von den Mitarbeitern des Zentrums geleitet (vgl. Frey, 1989, 20). Es werden mehrere Forumtheaterstücke - zum Teil von Boal verfasst - inszeniert. Die Themen ergeben sich aus der politischen und sozialen Realität Frankreichs und sollen einer breiten Öffentlichkeit vertraut sein. Da das *Ceditade* keine eigene Spielstätte besitzt, versucht man über diesen Weg in die Institution Theater zu finden, wobei das Forumtheater als Alternative zum konventionellen Spielbetrieb zu betrachten ist (vgl. Frey, 1989, 21). 1981 beschließt das *Ceditade* mit verschiedenen Organisationen und Einrichtungen zusammenzuarbeiten. Zu einem Kongreß oder einer Feier stellen die Mitarbeiter des *Ceditade* ein Bilder-oder Forumtheater zu einem Thema, das die veranstaltende Organisation vorgibt, zusammen (vgl. Frey, 1989, 23).

Nach der Umbenennung des *Ceditade* in CTO (Centre du Théâtre de l'Opprimé – Augusto Boal) 1985 und einer Umstrukturierung der Aufgabenverteilung, muß das CTO trotz staatlicher Subventionen seinen festen Mitarbeiterstamm reduzieren. Die Mitarbeiter des CTO arbeiten vorwiegend innerhalb Frankreichs. Boal hält sich häufig im europäischen Ausland auf, um Kurse und Workshops anzubieten. Nur wenn mit einer neuen Technik experimentiert wird, tritt Boal in Paris in Aktion. Nachdem sich die politische Lage in Brasilien entspannt hat, kehrt Augusto Boal 1986 aus dem Exil dorthin zurück. Im CTO gibt er seine Leitungsfunktion auf und wird stattdessen zum Ehrenpräsident des Zentrums ernannt (vgl. Frey, 1989, 30).

2.6   Das Legislative Theater in Rio de Janeiro von 1993 bis 1996

Boal formt sein neuestes Volkstheaterkonzept, als er 1993 in den Stadtrat von Rio de Janeiro gewählt wird. Mit dem „Teatro Legislativo" schafft er eine politisch ausgerichtete Theaterform, die auf den bisherigen Methoden aufbaut: Schauspieler und Publikum erarbeiten gemeinsam Gesetzesvorschläge:

> *„Wenn ich sage, das Theater ist ein Experimentierfeld für die Revolution, spreche ich nicht von der radikalen Weltrevolution. Wenn zum Beispiel in einer kleinen Stadt die Bevölkerung sich darüber im klaren wird, daß es nötig ist, das Erziehungswesen zu ändern und das durchsetzt, so ist das eine Revolution" (Boal in: Südwind 1994, 9 ff),.*

Boal ist städtischer Abgeordneter der brasilianischen Arbeiterpartei PT, die nach der Zulassung 1979 ein, wie Wiegand es ausdrückt, „Auffangbecken für Oppositionelle wird" (Wiegand, 1999, 211). Oder weniger polemisch ausgedrückt eine Partei für die ärmeren Bevölkerungsschichten, gewerkschaftlich Engagierte und christlich Orientierte. Sie hat auch eine Anhängerschaft an den Universitäten und unter der Lehrerschaft. Balby erwähnt in ihrer Arbeit, daß die PT inzwischen schon Millionenstädte wie Porto Alegre oder Santo Andre regiere (vgl. Balby, 1997, 122 ff). Wiegand charakerisiert die PT als basisdemokratisch orientiert und ordnet sie dem sozialdemokratischen/ sozialistischen Spektrum zu (vgl. Wiegand, 1998, 211). 1992 erhält Boal bei der städtischen Wahl in Rio de Janeiro eines von sechs Mandaten der PT. Die PT bildet mit anderen Parteien wie den Grünen und der Kommunistischen Partei die Opposition. Die kommunale Verfassung ermöglicht den Bürgern Mitwirkungsrechte wie Anwesenheitsrecht bei Gesetzesabstimmungen, die Möglichkeit in Debatten das Wort zu ergreifen und Fragen an die Parlamentarier zu richten sowie inhaltlich selbst Stellung zu beziehen. Ein Mitwirkungsrecht macht sich Augusto Boal für sein Legislatives Theater besonders zu Nutze: Das Recht der Bürger eigene Gesetzesprojekte vorzuschlagen. Dies ist dann möglich, wenn nachgewiesen werden kann, daß mindestens 0,3% der Wahlberechtigten diese Gesetzesprojekte unterstützen (vgl. Balby, 1997, 81 ff).

Ziel seiner Mandatschaft sieht Boal in der Fortentwicklung des Forumtheaters. Dabei konkretisieren sich alternative Handlungsmodelle in der städtischen Politik (vgl. Boal, 1996, 42). Das Legislative Theater beinhaltet alle bisherigen Formen des Theaters der Unterdrückten sowie die spezifischen Formen wie das mobile Stadtparlament und die Meinungsumfragen (vgl. Balby, 1997, 81). Letsch umschreibt den Prozeß folgendermaßen:

> *„Dieses setzt den Aufbau von örtlichen Theatergruppen voraus, die in Forum-Theater-Stücken von ihren Alltagsproblemen berichten und für ein klar definiertes Publikum spielen. Die Änderungsversuche des Publikums werden in Berichten festgehalten, die dann auf Möglichkeiten für politische, gesetzgebende oder rechtliche Aktionen untersucht werden"* (Letsch, 1997, 3).

Die daraus entstehenden Gesetzesentwürfe werden vorwiegend in der Basisarbeit mit der Zielgruppe, den unterprivilegierten Schichten, entwickelt. Boal beschreibt in einfachen Worten:

„Ich frage die Leute: Worüber seid ihr unglücklich? Aus dem, was sie sagen, machen wir ein Stück, das wir immer wieder an anderen Orten aufführen. Bei jeder Aufführung wird mitgeschrieben. Der Report wird in mein Büro geschickt. (...) Dann gehen wir die Dinge nochmal durch und übertragen sie in die Politik" (Boal, zitiert nach Steinberger in: Süddeutsche Zeitung vom 17.10.1995).

Jeder Abgeordnete hat in Rio de Janeiro das Recht 25 Mitarbeiter, die von der Stadt bezahlt werden, einzustellen. Boal nimmt dieses Recht in Anspruch und bildet ein internes Kabinett, dessen Aufgaben Wiegand wie folgt beschreibt:

„ – die verwaltungstechnische Organisation des Projekts
- *die Durchführung von Meinungsumfragen: bei anstehenden Gesetzesänderungen und Gesetzesinitiativen sollten Menschenrechtsgruppen, Wohlfahrtsverbände und Institutionen und Einzelpersonen als Experten um ihre Meinung gefragt werden.*
- *die Unterstützung und Durchführung des „mobilen Parlaments", das vor einigen wichtigen Parlamentssitzungen auf öffentlichen Plätzen tagen sollte, um die Diskussion von Gesetzesvorschlägen öffentlich zu machen*
- *die schriftliche und juristische Überarbeitung der Gesetzesvorschläge, die aus der Arbeit der Forumtheatergruppen und der öffentlichen Veranstaltungen resultieren"(Wiegand, 1999, 212).*

Boals „externes Kabinett" hat zum Ziel weitere Theatergruppen zu gründen sowie Workshops und Festivals des Theaters der Unterdrückten durchzuführen. Gleichzeitig soll versucht werden, Kontakte zu bereits bestehenden Theatergruppen herzustellen, die zu sozialen Themen arbeiten. Kirchlich und gewerkschaftlich organisierte Basisgruppen sollen mit den Techniken des Theaters der Unterdrückten vertraut gemacht werden. In den ärmeren Stadtteilen versucht Boal mit seinen Mitarbeitern neue Gruppen zu initiieren (vgl. Wiegand, 1999, 212). In seiner Arbeit legt Boal zwei Schwerpunkte: Zum einen sollen mit seinen Theatertechniken die Menschen auf die Termine mit den Behördenvertretern vorbereitet werden. Wiegand beschreibt dies als „psychosoziale Vorbereitung" (Wiegand, 1999, 213), geht aber leider nicht näher darauf ein. Inwiefern die weiterentwickelten Theatertechniken Augusto Boals als Sozialtechnik im Sinne einer Art Selbstpräsentation angesehen werden können, müßte weiter untersucht werden. Der andere Schwerpunkt bildet die inhaltliche Auseinandersetzung mit sozialen Themen wie Arbeitslosigkeit, Kriminaltität, soziale Absicherung, Gesundheitswesen u.a. (vgl. Balby, 1997, 84 ff). Das Problem der Straßenkinder in Brasilien zeigt die dort herrschende Brutaltität und das Ausmaß der Armut. Boals Angaben gemäß wird der Mord an einem Straßenkind mit 30 - 50 Dollar bezahlt. Geschäftsleute, die ihr Viertel „säubern" wollen, stünden hinter diesen Taten (vgl. Boal in: Süddeutsche Zeitung vom 25.08.1993, 11)[6]. Seit 1993 gibt es Versuche ein Mandatsenthebungsverfahren einzuleiten, welche jedoch erfolgreich abgewehrt werden. In einem Solidaritätsschreiben aus Deutschland werden diese Versuche dahingehend gewertet, daß versucht würde, kulturelle politische Arbeit im Keim zu ersticken. Dieses Schreiben wird u.a. von Curt Meyer-Clason, George Tabori, Walter Jens, Tankred Dorst, Klaus Bednarz, Franz Castorf, Renate Klett und Günter Wallraff unterschrieben (vgl. Balby, 1997, 49). Balby konstatiert, daß das Legislative Theater von den Medien in Brasilien kaum beachtet wird (vgl. Balby, 1997, 101). Gegen Ende der Legislaturperiode existieren 19 Theatergruppen, die in Verbindung mit dem Legislativen Theater Augusto Boals stehen. Beachtenswert ist die parlamentarische Bilanz aus Sicht der Oppositionsbank, die von 50 Gesetzes- und Novellierungsvorschlägen 13 durch die Mehrheit des Parlaments verabschieden kann (vgl. Wiegand, 1999, 216). Wiegand hält das Gesetz zum Schutz von Opfern und Zeugen für das Wichtigste: Da Gewalt gegen Straßenkinder, Schießereien und Morde in den Slums sowie Überfälle auf Touristen zur Tagesordnung gehören, ist es besonders wichtig, daß Zeugen bereit sind vor Gericht auszusagen, ohne selbst Angst um ihr Leben haben zu müssen. Das neue Gesetz ermöglicht es den Zeugen, das Recht auf Datenschutz in Anspruch zu nehmen, so daß ihre persönlichen Daten nicht in den Prozeßakten erscheinen dürfen. Hinzu kommt das Recht von Opfern und Zeu-

---

[6] „Herodes lebt in Brasilien: Das politische Theater und die Aktivitäten des Augusto Boal. In: Süddeutsche Zeitung vom 25.08.1993, S. 11

gen, ihren Wohnsitz oder Arbeitsplatz mit Unterstützung der städtischen Behörden zu wechseln, wenn dies aus Sicherheitsgründen erforderlich ist (vgl. Balby, 1997, 87). Andere Gesetze betreffen die Einrichtung geriatrischer Abteilungen in den Krankenhäusern, den Schutz von Patienten der Psychatrie vor irreversibler (z.B. Gehirnoperationen) oder gewalttätiger Behandlung, die Einrichtung von Betreuungsdiensten für Kleinkinder, deren Mütter oder Väter in Schulen arbeiten, die Beseitigung von Gefahrenstellen für Blinde oder das Gesetz gegen die Diskriminierung von Homosexuellen in Hotels.

Für Wiegand demonstriert das Projekt „Legislatives Theater" die Möglichkeiten des Theaters, kommunale Politik zu beeinflussen. Allgemeiner formuliert er es in der Weise, daß das Legislative Theater einen bisher einzigartigen Weg auf der ganzen Welt, Theater zu politisieren und die Politik zu theatralisieren" (Wiegand, 1999, 219) darstellt. 1996 verliert Boal zwar sein städtisches Mandat in Rio de Janeiro, was aber nicht zum Untergang des Legislativen Theaters führt. In PT-regierten Städten arbeiten mittlerweile andere Theatergruppen mit Methoden des Legislativen Theaters weiter (vgl. ebd.).

3 Die theoretische Zuordnung des Theaters der Unterdrückten

Vergleiche mit anderen Theaterformen wie den Lehrstücken von Brecht oder dem Psychodrama Morenos sowie anderen Formen politischen Theaters, ergeben bei einer genaueren Betrachtung sowohl Gemeinsamkeiten als auch klare Abgrenzungen. Diese sollen eine theoretische und formale Zuordnung des Theaters der Unterdrückten erleichtern.

3.1 Boals Theateransatz und die Theatertheorie von Bertolt Brecht unter besonderer Berücksichtigung der Lehrstücke - Gemeinsamkeiten und Abgrenzung

Die Beschäftigung mit Brecht in der brasilianischen Theaterlandschaft zeigte sich nicht nur durch die Inszenierungen seiner Stücke, sondern auch dadurch, daß sich die brasilianische Theaterästhetik durch die Auseinanderstezung mit Brechts Theatertheorie produktiv verändert hat (vgl. Koudela in: Korrespondenzen. Heft 19/20/21, 1994, 99). Im Rahmen dieser Diplomarbeit stehen insbesondere die Überschneidungen von Brechts Lehrstückpraxis mit dem sozialpolitischen Theater Boals im Vordergrund.

3.1.1 Die Lehrstücke von Brecht

„Indem Brecht einem Ansatz folgt, wonach das Ziel einer Theaterinszenierung nicht nur darin liegt, künstlerischen Anforderungen zu entsprechen, sondern das Publikum anzuregen, die gesellschaftliche Wirklichkeit nicht mehr als „naturgegeben" hinzunehmen, besaß er gleichzeitig pädagogische Ambitionen" (Kapp, 1996, 102). In diesem Zusammenhang sind die Lehrstücke Brechts von besonderem Interesse. Die Lehrstücke stehen zum einen in der Tradition von Reformpädagogik und Jugendbewegung anderseits verfolgen die Lehrstücke eine politische Zielsetzung (vgl. Hent-

27

schel, 1996, 90). Sie greifen Formen des Agitproptheaters und der Agitpropmusik auf und berufen sich auf die Zielsetzungen der sozialistischen Arbeiterbewegung. In formaler Hinsicht beziehen sie neue technische Medien (fotografische Projektionen, Film, Hörfunk und Schallplatte) in ihre Arbeit ein (vgl. ebd.). Zwischen 1929 und 1934 schreibt Brecht sechs Lehrstücke, die sich sowohl thematisch als auch von ihrer dramatischen Struktur her ähneln. Aus der theoretischen Auseinandersetzung Brechts mit dem Thema Lehrstück sind fragmentarische Texte erhalten. Da eine geschlossene Lehrstücktheorie Brechts nicht vorliegt, läßt sich erst durch die Systematisierung des Lehrstückmaterials durch Steinweg die Lehrstücktheorie in einem Zusammenhang erfassen (vgl. Hentschel, 1996, 91). 1937 verfaßt Brecht einen kurzen Text „Zur Theorie des Lehrstücks" indem er die Lehrstücke von den sogenannten „Schaustücken" abgrenzt. Der Unterschied zwischen Schaustück und Lehrstück liegt in der Beziehung zwischen Zuschauer und Publikum. Das Lehrstück belehrt nicht, indem es angeschaut wird, sondern indem es gespielt wird. Das Publikum selbst wird zu Akteuren, die Erziehung gilt den Spielenden und nicht den Zuschauenden:

> „das lehrstück lehrt dadurch, daß es gespielt wird, nicht dadurch, daß es gesehen wird. Prinzipiell ist für das lehrstück kein zuschauer nötig, jedoch kann er natürlich verwertet werden"(Steinweg, 1976, 164).

Steinweg führt an späterer Stelle fort, daß die Bedeutung des Theaterspielens für die Bildung der Charaktere, die für Kinder als auch Erwachsene gleichermaßen besteht, nicht an eine Lehre oder Moral eines Stückes gebunden ist, sondern an der eigenen, szenischen Erfahrung, an der eigenen Verkörperung und am gemeinsamen Handeln (vgl. Steinweg, 1976, 176).

Durch das Ausführen bestimmter Handlungen und die Einnahme bestimmter Haltungen soll der Spielende gesellschaftlich beeinflußt werden. Nachahmung „hochqualifizierter muster" gesellschaftlichen Handelns sowie ihre Kritik durch „überlegtes andersspielen" bilden die Grundlage der erzieherischen Beeinflussung durch das Lehrstück (vgl. ebd.).

> *„es braucht sich keineswegs nur um die wiedergabe gesellschaftlich positiv zu bewertender handlungen und haltungen zu handeln; auch von der (möglichst großartigen) wiedergabe asozialer handlungen und haltungen kann erzieherische wirkung erwartet werden"(Steinweg, 1976, 176).*

Hentschel sieht am Beispiel der Lehrstücke die szenische Untersuchung existentieller menschlicher Konflikte und die Problematik des Einverständnisses[7]. Die Lehrstücktexte sollen als Material verstanden werden, das zur Einfügung und Ergänzung mit eigenen Texten animiert (vgl. Hentschel, 1996, 91).

Brechts Grundannahme daß das Einnehmen bestimmter Haltungen und das Ausführen bestimmter Handlungen zu entsprechenden Stimmungen und Emotionen führe (und damit zur sinnlichen Erfahrung gesellschaftlicher Zusammenhänge) geht nach Hentschel auch mit den Erkenntnissen der zeitgenössischen Lerntheorie und der Ausdruckspsychologie konform (vgl. Hentschel, 1996, 92). Steinweg erläutert den von Brecht erwähnten Mechanismus wie folgt:

> *„so wie bestimmte stimmungen und gedankenreihen zu haltungen und gesten führen, führen auch haltungen und gesten zu stimmungen und gedankenreihen. Das anspannen der halsmuskulatur und anhalten des atems wird als begleiterscheinung oder folgeerscheinung des zorns betrachtet. Durch anspannen der halsmuskulatur und anhalten des atems kann aber auch zorn hervorgerufen werden. Ein verlagern des körpergewichts auf das eine bein, zittrighalten der muskulatur, fahriges drehen des augapfels usw. kann furcht erzeugen" (Steinweg, 1976, 141).*

Durch die „Bildung der Charaktere durch Theaterspielen" verbindet Brecht zwar die Hoffnung auf die Veränderung der Gesellschaft. Im Hinblick auf eine politische

---

[7] Hier sei beispielhaft das Lehrstück „Die Maßnahme" erwähnt, in dem es um das Einverständnis des Kollektivs geht, zugunsten des großen Ganzen (Aufbau einer gerechteren Gesellschaft) einen Einzelnen zu opfern.

Utopie jedoch lasse sich das Lehrstück nach Hentschel nicht als Mittel einer dogmatischen Belehrung über die Prinzipien der anzustrebenden Gesellschaftsordnung verwenden. Dem Titel ihrer Dissertation gemäß legt sie ein großes Gewicht auf die „theatralische Eigengesetzlichkeit" der Lehrstücke und eine aktuell entstehende „spielerische Wirklichkeit" für die Spieler der Lehrstücke. Durch eine solch formalästhetische Betrachtungsweise geraten die Inhalte der Lehrstücke in den Hintergrund.

3.1.2 Boal und Brecht

Boals Theaterkonzept betont den Gebrauchswert des Theaters, denn für ihn ist Theater Aktion und nicht Konsum (vgl. Neuroth, 1994, 43). Er entwickelt in seinem ersten Buch über das Theater der Unterdrückten eine Theatertheorie, die die Theorien von Aristoteles, Hegel und Brecht kritisch betrachten. Darin bezeichnet er die Poetik von Aristoteles als eine Poetik der Unterdrückung. In der Überwindung der klassischen Poetik des Aristoteles schätzt Boal Brecht. Beide stimmen darin überein, daß der Zuschauer durch den Vorgang der Einfühlung von den dargestellten Ideen beeinflußt wird.

> „Die Zuschauer würden von den Spielern porträtiert, sie fänden sich auf der Bühne wieder, sie fühlen und litten mit den Darstellern (...) Die Einfühlung wäre demnach die Basis für den Vorgang der Katharsis: Durch das Empfinden von Furcht und Mitleid mit den Charakteren auf der Bühne würden die Zuschauer von unrechten Gefühlen gereinigt"(Neuroth, 1994, 46).

In einem Interview mit Richard Schechner wendet sich Boal gegen eine Katharsis im aristotelischen Sinn. Jedoch fordert er für sein Theater der Unterdrückten insbesondere nach seiner Hinwendung zu therapeutischen Theatermethoden in den 80er Jahren einen eigenen Katharsisbegriff, der eine Befreiung von Ängsten und inneren Blockaden mit sich bringt (vgl. Neuroth, 1994, 47).

Nach Neuroth betrachtet Boal die Theatertheorien von Aristoteles, Hegel und Brecht aus politischer Sicht (vgl. Neuroth, 1994, 44). Selbst unpolitisches Boulevardtheater ist für Boal durch die Trennung von Politik und Theater ein politischer Akt, da so eine kritische Haltung des Publikums verhindert wird. Boal geht es um die Behandlung des Zuschauers, der durch die erwähnte Art von Theater zur Passivität erzogen wird. In der Boalschen Theatertheorie wird die Passivität des Zuschauers mit Unterdrückung gleichgesetzt (vgl. ebd.). Auch Brecht übt Kritik an der Passivität des Zuschauers:

> *„Die theatralischen Künste stehen vor der Aufgabe, eine neue Form der Übermittlung des Kunstwerks an den Zuschauer auszugestalten. Sie müssen ihr Monopol an die keinen Widerspruch und keine Kritik duldende Führung des Zuschauers aufgeben und Darstellungen des gesellschaftlichen Zusammenlebens der Menschen anstreben, die dem Zuschauer eine kritische, eventuell widersprechende Haltung sowohl der dargestellten Vorgänge, als auch der Darstellung gegenüber ermöglichen, ja organisieren" (Brecht, 1967, Bd. 15, 245).*

Brecht möchte mit seinem epischen oder dialektischen Theater ebenso wie Boals Theater der Unterdrückten, die Welt als veränderbar zeigen. Diese neue Theaterformen, die diesem Anspruch genügen, brauchen einen neuen Zuschauertypus, den kritisch aktiven Zuschauer. Wobei im Gegensatz zu Brecht Boal den Begriff des Zuschauers weiter faßt, indem er Zuschauer als einen zur Handlungsunfähigkeit verurteilten Mensch beschreibt (vgl. Thorau, 1982, 41). In seinen Schaustücken fordert Brecht „jene kühle, forschende, interessierte Haltung, nämlich die Haltung des Publikums des wissenschaftlichen Zeitalters" (Brecht zitiert nach Thorau, 1982, 44). Bei Boal wird deutlich wie sehr seine Aneignung Brechts im Zeichen des lateinamerikanischen Befreiungskampfes steht, denn wo bei Brecht von kritischer Distanz die Rede ist, geht es bei Boal schon um die Aktion (vgl. Thorau, 1982, 44). Thorau beschreibt wie folgt:

„Während Brecht von „Abbildern der Wirklichkeit", die das Theater gäbe, spricht, setzt Boal die Theaterrealität seines Theaters der Unterdrückten am Schnittpunkt von Realität und Fiktion an, verlängert er Theater in die Realität. Eingreifen auf dem Theater wird so für ihn zum Eingreifen in die Realität (...) bei ihm,Boal, sei Theater schon Aktion selbst (...) " (Thorau, 1982, 45).

Weiter beschreibt Thorau die Poetik Brechts als eine Poetik der Reflexion, während er die Poetik Boals eine Poetik der Aktion nennt (vgl. Neuroth, 1994, 44). Und obwohl Brecht sich in einigen Äußerungen auf eine Veränderung der Welt bezieht, bezeichnet Boal Brechts Theater als ein Theater der Bewußtmachung. In diesem Sinne als eine Art Vorstufe zu einem Theater der Aktion (vgl. Neuroth, 1994, 45). Durch die Möglichkeit der theatralen Erprobung alternativer handlungsmodelle ist die konkrete Veränderung in Boals Theaterkonzept miteingeschlossen (vgl. ebd.). Neuroth sieht Parallelen des Boalschen Konzeptes zu den Lehrstücken von Brecht (vgl. ebd.). Beiden Theaterformen ist es wichtig, den Zuschauer zu aktivieren[8].

Im Vergleich zu den Lehrstücken ist das Theatergeschehen bei Boal unmittelbar in der Alltagsrealität angesiedelt. Aus der konkreten Lebenserfahrung der Spieler wird ein Stück erarbeitet. Die Handlungsvorschläge der Spieler, die geprobt werden, sollen in den Alltag übertragbar sein (vgl. Neuroth, 1994, 46). Wohingegen die literarisch durchgearbeiteten Vorlagen Brechts eine Art Herausforderung für den Spieler darstellen, seine eigenen Erfahrungen einzubringen (vgl. Koch in: Ruping, 1993, 318). Koch beschreibt den Theateransatz von Boal im Vergleich zu Brechts Lehrstücken in der theaterpädagogischen Praxis wie folgt:

„Die Leistungsfähigkeit der Vorschläge von Augusto Boal liegt darin, daß er die subjektiven und politischen sowie historischen Lebenserfahrungen von Subjekten ernst nimmt und aus ihrem Material versucht, Stücke bzw. Verdichtungen vorzunehmen. Wenn diese Verdichtungen virtuos vonstatten gehen können, dann mögen sie im glücklichsten Falle die Brisanz und Widersprüchlichkeit sowie literarische Form der Brechtschen Lehrstücke erreichen – oder

---

[8] Wie in Kap. 3.1.1. bereits beschrieben

aber sie bleiben als Formexperiment politisch-sozial ohne allzu große Wirkung, indem sie Wirklichkeit nur verdoppeln"(Koch in: Ruping, 1993, 319).

Für Koch ist die Brauchbarkeit der Boalschen Spielversuche vorwiegend im Feld der sozialen Wahrnehmung und des sozialen Alltags angesiedelt. Das Alltagsleben wird problematisiert und „zur Bearbeitung durch uns vorbereitet" (Koch in: Ruping, 1993, 319). Ein hervorstechendes Merkmal sei die Wirklichkeitsnähe von Boals Theater, denn dies scheint ihm (Boal) eine Garantie für die Aktivierung der Menschen zu sein (vgl. ebd.). Brecht wiederum möchte „Kontrasterfahrungen, Erfahrungen des ganz Anderen" stimulieren, „so daß aus dieser Fremdheit auch den gewohnten Gegenständen gegenüber ein Impuls zur Veränderung entsteht" (Koch in: Ruping, 1993, 319). Die unterschiedlichen Herangehensweisen von Brecht und Boal werden durch den jeweiligen kulturellen Hintergrund erklärt. Während Boals Auffassung aus den Lebenserfahrungen in Lateinamerika, in Phasen früherer revolutionärer Bewegungen resultiere, stehe bei Brecht die Erfahrung europäischer Revolutionen im Hintergrund seiner Theatertheorie (vgl Koch in: Ruping, 1993, 320). Bei Brecht steht das Organisieren von Hilfe als politisch dritte Sache im Mittelpunkt und Boal setzt auf die unmittelbare Selbsthilfe der betroffenen Menschen (vgl. ebd.). Koch resümiert, indem er Boals Theateransatz der sogenannten lebendigen menschlichen Natur zuschlägt und Brechts Ansatz dem Kunstwerk[9] (vgl. Koch in: Ruping, 1993, 321).

3.2 Das Theater der Unterdrückten im Vergleich mit Formen des therapeutischen Theaters insbesondere dem Psychodrama von Moreno

Bis Ende der 70er Jahre zielt Boals Theaterkonzept vor allem auf die „Bewußtmachung sichtbarer Formen von politischer und sozialer Unterdrückung und auf die Entwicklung einer kollektiven (Handlungs-)Perspektive gegenüber gesellschaftli-

---

[9] Koch nimmt hier Bezug auf Hegels „Einleitung in die Ästhetik", in der das „tote" Kunstwerk und die „lebende" Natur einander gegenübergestellt werden.

chen Mißständen" (Weintz in: Boal, 1999, 9). Vergleiche mit seinen Spielvorschlägen und den Techniken des Psychodramas werden von Boal abgelehnt (vgl. ebd.), obwohl einige seiner Anleitungen eine Verwandtschaft zu therapeutischen Verfahren aufweisen (vgl. Thorau, 1982, 129; vgl. auch Feldhendler, 1992, 51 ff). Da Augusto Boal durch seinen Europaaufenthalt mit Formen subtiler und internalisierter Unterdrückung (Kontaktarmut, Kommunikationsnot, Gefühl der Leere, Einsamkeit) konfrontiert wird (vgl. Weintz in: Boal, 1999, 9), kommt es zu einer Anpassung seiner Techniken an diese Formen der Unterdrückung. Weintz spricht in diesem Zusammenhang von einer „Differenzierung seines (Boals) Theaterverständnisses" (ebd.), bei dem sich Therapie[10] und Theater überlagern (vgl. ebd.). Boals Theatermodell läßt sich nun nicht mehr auf den Aspekt der politischen oder sozialen Animation reduzieren, sondern wird nun auch im Zusammenhang mit therapeutischen Fragestellungen und dem Aspekt des Theaters als künstlerischem Medium betrachtet (vgl. Weintz in: Boal, 1999, 7).

3.2.1 Das therapeutische Psychodrama von Jakob Levy Moreno

Jakob Levy Moreno (1889 – 1974) ist der Begründer von Psychodrama, Soziometrie und Gruppenpsychotherapie-Bewegung. Er gründete als junger Mann eine Spontan-Theatergruppe, zu der viele berühmte Wiener Schauspieler gehörten und aus der heraus das Psychodrama entstand (vgl. Yablonsky, 1978, 241). Moreno thematisierte das Eheproblem eines Mitspielers auf der Bühne, indem er das Paar Schlüsselszenen aus dem häuslichen Leben improvisieren ließ (vgl. ebd.). Die Gruppenmitglieder übernahmen verschiedene Rollen, um den Ehekonflikt aus ihrer Sicht darzustellen. Aufgrund der Erkenntnis, daß die Gruppe an dieser Darstellungsweise des Ehekonflikts intensiv teilnahm und das Ehepaar dies als Hilfe ihrer Probleme ansah, begann Moreno mit Gruppen-Inszenierungen dieser Art zu experimentieren (vgl. ebd.). „Da-

---

[10] Wobei Boal Therapie nicht als Behandlung einer ernsten psychischen Erkrankung, sondern als Anstoß zum „Lernen über sich selbst" versteht (vgl. Neuroth, 1994, 69)

bei wurden Rollentausch, Doppeln und andere Methoden entdeckt, die schon seit den Anfängen zu den Elementen des psychodramatischen Verfahrens gehören" (ebd.). Seine sozialwissenschaftlichen Theorien wurden in der Auseinandersetzung mit Alfred Adler, August Aichhorn und Theodor Reik verfeinert und er diskutierte mit Freud über die Unterschiede und Ähnlichkeiten zwischen Psychoanalyse und Psychodrama (vgl. Yablonski, 1978, 243). Moreno lehnte den statischen und individualistischen Charakter der Psychoanalyse ab und wollte die therapeutische Praxis nicht auf ein Zwei-Personen-Verhältnis beschränken (vgl. ebd.). Seiner Ansicht nach verfügt die Guppe über heilende Fähigkeiten und Moreno führte als Beispiele den Rat der Alten in den indianischen Kulturen sowie das gemeinschaftliche Leben in Klöstern als Praxis gegenseitiger Förderung auf (vgl. Wiegand, 1999, 68).

Wiegand führt die „Konstituenten des therapeutischen Psychodramas" wie folgt auf:

> *„Die Bühne: sie ist eine „als-ob-Realität. Sie ist Schein und spiegelt das Sein. Der Protagonist: von ihm wird verlangt, einen Ausschnitt aus seinem Leben (...) zu spielen. Im anschließenden sharing erfährt der Protagonist eine Deutung seines Handelns, er kann seinen dargestellten Handlungen eine Bedeutung im Kontext seines Lebens geben. Die Leiter/innen: sie füllen die Rollen des Spielleiters, Therapeuten und Analytikers aus. Ihre Aufgaben sind klar definiert, von ihnen wird Empathie und Warmherzigkeit für den Protagonisten verlangt. Die „Hilfs-Ichs": sie sind die Rollenspielpartner des Protagonisten, sie schlüpfen z.B. in die Rollen seiner Widersacher, oder sie helfen ihm, indem sie für den Patienten stellvertretend spielen. (...) Das Publikum: es ist die mitfühlende Gruppe. Sie soll den Patienten auffangen, soll ihm ein Feed-back nach dem therapeutischen Rollenspiel geben, sie darf vorher (...) den Protagonisten „anfeuern", ihm bei der spielerischen Konfliktbearbeitung Mut machen" (Wiegand, 1999, 72).*

Dabei geht es Moreno nicht um die schauspielerische Leistung. Moreno möchte, daß dem Protagonisten auf diese Weise (durch Improvisationen) eigene Konflikte und seine Beziehungen zu anderen Menschen klarer werden.

Die Haupttechniken des Psychodramas sind Doppeln, Spiegeln und der Rollentausch. Das Doppeln wird z.B. bei Patienten eingesetzt, die Schwierigkeiten haben, sich selbst zu spielen, wobei Weiß verschiedene Varianten des Doppelns wie z.B. „konfrontierendes Doppeln" oder „stützendes Doppeln" usw. erläutert (vgl. Weiß, 1985, 76 ff). Yablonski beschreibt das Doppeln als einen Vorgang, bei dem der Doppelgänger für den Protagonisten einspringt und die Szene wiederholt. Wichtig sind die Reaktionen des Protagonisten auf die Aktion seines Doubles (vgl. Yablonski, 1978, 111). Dabei kann das Double das Spiel des Protagonisten verstärken, dem Spiel aber auch eine weitere Dimension hinzufügen (vgl. Yablonski, 1978, 112).

Beim Spiegeln springt das sogenannte „Hilfs-Ich" für den Protagonisten ein, der nicht spielen will oder kann. Im Gegensatz zum Doppeln findet kein szenisches Spiel von Seiten des Protagonisten statt, auf das aufgebaut werden könnte. Der Protagonist soll ermuntert werden, die Spiegelung durch den Hilfsdarsteller zu kommentieren und darauf zu reagieren (vgl. Yablonski, 1978, 118).

Das Rollentauschverfahren, in dem A zu B und B zu A wird, fördert die „Tele-Sensibilität" (beiderseitige Einfühlung) der Spieler (vgl. Yablonski, 1978, 109). Der Rollentausch ist ein gutes Mittel, Spontaneität im Spiel zu fördern, weil es den Protagonisten aus eingefahrenen Verhaltensmustern und gewohnten Abwehrhaltungen herausholt (vgl. ebd.). Mit Hilfe des Rollentausches ist es dem Protagonisten möglich, die eigene Identität aus einem anderen Blickwinkel wahrzunehmen. Das Übernehmen der Rolle eines anderen erfordert und schult die Einfühlung, verbessert Selbst- und Fremdwahrnehmung und ist förderlich für eine sinnvolle Kommunikation (vgl. Yablonski, 1978, 111). Abschließend sei noch eine besondere Methode des Psychodramas erwähnt, die Zukunftsprobe, in der der Protagonist auf die erfolgreiche Bewältigung einer künftigen Situation vorbereitet werden soll. Dabei geht Yablonski davon aus, daß das psychodramatische Spiel das Verhalten des Protagonisten in der realen Situation beeinflussen kann (vgl,. Yablonski, 1978, 116). Dies ist ein Gedanke, der auch im Theater der Unterdrückten von Augusto Boal immer wie-

36

der auftaucht[11]. Nicht zuletzt deshalb hat das Vorwort von Thorau in Boals Buch „Theater der Unterdrückten: Übungen und Spiele für Schauspieler und Nicht-Schauspieler" den Titel: „Augusto Boal oder die Probe auf die Zukunft". Das folgende Kapitel soll auf weitere Gemeinsamkeiten des Psychodramas und dem Theater der Unterdrückten eingehen.

3.2.2 Gemeinsamkeiten von Boal und Moreno

Morenos Ansatz basiert auf seiner Theorie der Spontaneität, deren Weiterentwicklung und Förderung er als Aufgabe der Erziehung betrachtet (vgl. Feldhendler, 1992, 111). Dabei verbindet er in entwicklungspsychologischer Sicht die Phasen der Herausbildung der Spontaneität mit einem eigenen Rollenkonzept. Spontaneität wird als Energiefaktor, als Katalysator verstanden. Es ist ein Element der Vorbereitung und Aufwärmung für eine neue Situation (vgl. Feldhendler, 1992, 112). Eine theatralische Form Spontaneität auszuagieren, stellt für Moreno das Stegreifspiel dar, dem er eine heilende Funktion zuschreibt (vgl. Feldhendler, 1992, 113). Das Stegreifspiel kann gruppendynamische Prozesse, intrapsychische Phänomene bei einzelnen Spielenden und emotionale Prozesse bei den Zuschauern auslösen (z.B. Projektions- und Identifikationsmechanismen) (vgl. ebd.). Auch Boals Theater der Unterdrückten setzt Formen des Stegreif-Spiels ein (z.B. wenn im Forumtheater Zuschauer ihre spontanen Einfälle ausprobieren), auch wenn er nicht explizit davon spricht. Feldhendler führt hier als konkretes Beispiel das Bildertheater von Boal an, in dem besonderen Wert auf einen nichtverbalen Einstieg, auf die Weiterbearbeitung über Körpersprache und kinästhetische Mittel gelegt wird (vgl. Feldhendler, 1992, 114). Leider erörtert Feldhendler diese Gemeinsamkeit nicht näher. Es läßt sich jedoch eine generelle Tendenz Boals mit Formen des Stegreiftheaters zu arbeiten in den anderen

---

[11] Eine Szene der Unterdrückung, die man erwartet, wird geprobt. Zu bisherigen Handlungsmodellen werden positivere Alternativen erarbeitet. Allerdings bleibt der Begriff Unterdrückung (hier im Kontext des Vorwortes von Thorau) bei Boal zunächst im politisch- sozialen Rahmen.

Theaterformen des Theaters der Unterdrückten bestätigen. Wenn im Forumtheater ein Mitspieler den Protagonisten abwählt, um seine eigene Version zu spielen, dann kommt es auch auf spontane Reaktionen an und nicht auf die arrangierte Szene. Eine weitere Gemeinsamkeit scheinen Erfahrungen beider Theaterformen in der so-genannten Surplus-Reality darzustellen: in ihr wird nicht real Geschehenes (z.B. Phantasievorstellungen, Visionen, Träume, Wunschvorstellungen, etc.) in Szene ge-setzt und dadurch erfahrbar gemacht. Feldhendler bezeichnet die Surplus-Realität als ein wichtiges Instrument persönlicher und sozialer Veränderungen (vgl. Feldhendler, 1992, 118). Auch Boals Theater bewegt sich im Bereich der Surplus-Realität, denn im szenischen Spiel übernehmen die Spieler andere Rollen und erproben neue Handlungsmöglichkeiten (vgl. ebd.). Die Neuorientierung, die Probe von Handlun-gen, der Prozeß der Transformation des Protagonisten vom Objekt gegebener gesell-schaftlicher, psychologischer, bewußter und unbewußter Zustände zum Subjekt und der Freiraum von Bühne und Gruppe sind gemeinsame verhaltensmodifizierende Komponenten von Moreno und Boal (vgl. Feldhendler, 1992, 119).

Die generelle Ablehnung des Katharsisbegriffs Boals weicht seinem differenzierte-rem Katharsismodell, in dem er die medizinische, die Morenosche und die Aristoteli-sche sowie seine spezifische Katharsisform im Theater der Unterdrückten beschreibt (vgl. ebd.). Moreno unterscheidet drei Formen der Katharsis: Die ästhetische Kathar-sis, die Zuschauerkatharsis und die Aktionskatharsis. Auch Boal spricht in seiner Vorgehensweise von einer Art Aktionskatharsis, die beim Protagonisten stattfindet (vgl. Feldhendler, 1992, 121).

Durch die Auseinandersetzung Boals mit der westeuropäischen Kultur sowie durch seine eigene Psychoanalyse hat Boal seine Arbeitsmethoden verändert und sich teil-weise dem Psychodrama angenähert (vgl. Wiegand, 1999, 80). Wiegand betont vor allem die gemeinsamen Ziele von Psychodrama und Theater der Unterdrückten: Stärkung des Individuums und die Veränderung unerträglicher Lebenszusammen-hänge (vgl. ebd.).

38

3.2.3 Abgrenzung von Psychodrama und Theater der Unterdrückten

Nachdem ich Boals Annäherungen an das Psychodrama im vorangegangenen Kapitel skizziert habe, möchte ich nun die Unterschiede aufzeigen. Zwar arbeitet Boal mittlerweile mit quasi-therapeutischen Theatermethoden, jedoch hat er im Gegensatz zu Moreno keinen therapeutischen Veränderungsanspruch im Bezug auf die einzelnen Teilnehmer seiner Seminare (vgl. Wiegand, 1999, 80). Oder wie Boal selbst meint, sein Theater der Unterdrückten sei möglicherweise therapeutisch, niemals aber Therapie (vgl. Boal in: Ruping, 1991, 335). Boal und seine Mitarbeiter verfolgen mit ihren Methoden nach wie vor gesellschafts- und parteipolitische Zielsetzungen, wie man es am deutlichsten in Boals Legislativen Theater erkennen kann (vgl. Wiegand, 1999, 82). Auch Feldhendler beschreibt die unterschiedliche Zielsetzung der beiden Methoden. Wohingegen die Zielsetzung des Theaters der Unterdrückten die Veränderung der Gesellschaft ist, sei die Zielsetzung des Psychodramas die Veränderung in der Gesellschaft (vgl. Feldhendler, 1992, 52). Das Ziel des Psychodramas, die Heilung des Individuums, wird von Boal kritisiert, weil es vernachlässigt, daß der Einzelne lediglich der Träger der Krankheit ist, deren Verursacher die gesellschaftlichen Strukturen und Unterdrückungsmechanismen sind. Krankheit wird so individuell gesehen und behandelt, wohingegen im Forum-Theater das Problem „kollektivgemeinsam" (Boal, 1980, 155) gesehen werde. Das Ziel liege in der Transformation der Gesellschaft und nicht in der Heilung des Patienten (vgl. Feldhendler, 1992, 54). Boal räumt jedoch ein, daß das Psychodrama politische Wirkung und das Forum-Theater wiederum auch therapeutische Wirkung haben könne (vgl. Boal, 1980, 155). Boals Ansatz scheint eher nach außen gerichtet zu sein (die unterdrückerische Wirklichkeit) während das Psychodrama sich mehr auf die inneren psychischen Vorgänge und die innere Gruppenstruktur bezieht (vgl. Feldhendler, 1992, 55). Während Boal inter- und intrapsychische Prozesse vernachlässigt, finden bei Moreno gesellschaftspolitische Bezüge wenig Beachtung. Boal versucht auch nicht wie Moreno, „unbewußte Prozesse" auszulösen. Zwar könnte das „Unbewußte" sich in der Theaterarbeit plötzlich artikulieren, jedoch liegt es nicht in Boals Absicht, so etwas zu initiieren (vgl. Boal, 1980, 156).

Feldhendler sieht die grundsätzlichen Unterschiede von Boal und Moreno in deren Weltanschauung begründet (vgl. Feldhendler, 1992, 56):

> *„Die Praxis des Psychodramas sucht durch emotionale Erfahrung, rationale Einsicht und Integration, Konflikte zu lösen. Sie schafft Wege aus der (individuellen und sozialen) Krise.*
> *Dagegen besteht das Theater der Unterdrückten auf der Kultivierung der Krise. Die Konfliktlösung vollzieht sich in Boals Methode durch Aktivierung und Dynamisierung: In seiner dialektischen Dramaturgie geht es letzten Endes darum, den „aufrührerischen, revolutionären, verändernden Impetus"(...) in jedem Teilnehmer / Zuschauer zu stärken und zum Ausdruck zu bringen. (...) "*
> *(Feldhendler, 1992, 57).*

3.3 Armand Gattis Theaterarbeit mit dem Zuschauer als eine weitere Form alternativer theatralischer Kommunikation neben dem Theater der Unterdrückten

Birbaumer führt das Theater von Augusto Boal, von Dario Fo und Armand Gatti als Beispiele „alternativer theatralischer Kommunikation" (Birbaumer, 1981) an, wobei sich Birbaumer in seiner Schrift auf Formen des nicht-institutionalisierten Theaters konzentriert. Das institutionalisierte Theater befinde sich in einer Krise, weil es nicht Schritt gehalten habe mit den allgemeinen sozialen Veränderungen. Die Infragestellung des institutionalisierten Theaters beinhaltet neben der Frage nach der Stellung des Intendanten, nach dem zunehmenden parteipolitischen Einfluß auf die Theater in Zusammenhang mit gewährten Subventionen vor allem auch die Frage nach der Kommunikation zwischen Theater und Publikum, die in zunehmendem Maße gestört ist (vgl. Birbaumer, 1981, 2). Es läßt sich eine gewisse Stagnation des traditionellen bürgerlichen Theaters in Form und Inhalt als Theater einer zahlenmäßig bestimmbaren Publikumsschicht feststellen (vgl. Birbaumer, 1981, 5). Birbaumer möchte in seiner Arbeit aber nicht in der Kritik an der Hochkultur verharren, sondern sich den alternativen Formen des Theaters zuwenden. Das alternative Theater bildet einen Kontrast zum Bedienungstheater in den „Drei-Sparten-Theater-Warenhäusern" (vgl. Birbaumer, 1981, 34). Die alternativen Theaterleute stellen der „Ein-Weg-Kommunikation" (ebd.) immer wieder Versuche in Richtung „face-to-face-communication" (ebd.) gegenüber. Solche Versuche sind konkret in den Bemühungen von Brecht, Boal, Gatti und Fo zu spüren, wenn durch eine andere Raum- und Schauspielästhetik die sogenannte „vierte Wand" niedergerissen wird, wenn versucht wird, den Zuschauer zu aktivieren und mit einzubeziehen in die Inszenierung. Zusammenfassend läßt sich bei oben genannten Theatermachern die Tendenz erkennen, sich dem Zuschauer zuzuwenden bis hin zur völligen Auflösung des Grabens zwischen Schauspieler und Zuschauer.

3.3.1 Der Dramatiker und Animateur Armand Gatti

Gatti entstammt einer armen Familie aus Monaco. Er wächst in den Armenvierteln Monacos auf, während sein Vater bei der städtischen Müllabfuhr tätig ist. Das Stück „la vie imaginaire de l'éboueur Auguste G." erweist sich als durchwegs autobiografisch (vgl. Birbaumer, 1981, 316). Als Fünfzehnjähriger erlebt Gatti den gewaltsamen Tod seines Vaters, der nach einer Streikdemonstration in Monaco auf Grund einer dabei erlittenen Verletzung ums Leben kommt. Gatti wächst bei Kinderarbeit und im Umfeld politischen Widerstands auf. Der Tod seines Vater mag mit ein ausschlaggebender Faktor für Gattis politisches Engagement gewesen sein:

> *„Quand on l'a mis en terre, j'ai refusé de le laisser mourir. Cela m'obsédait: il a quelquechose à dire, il faut que je le dise à sa place. Qu'il continue à raconter. Souvent aujourd'hui, je rêve à mon père intensément" (Gatti zitiert nach Birbaumer, 1981, 316).*

41

Seit einem Alter von 12 Jahren ist Gatti (geb. 1924) als Gelegenheitsarbeiter tätig. Er arbeitet als Möbelpacker, als Subdiakon bei Begräbnissen u.a. mehr und besucht deshalb die Schule nur unregelmäßig. Trotzdem ist sich der junge Gatti schon früh im klaren, daß nur die exzellente Beherrschung der französischen Sprache ihm eine gewisse Durchsetzungskraft verleihen (vgl. ebd.). In einer von Geistlichen betreuten Schule kommt er auf längere Zeit unter. Dort gründet er seine erste Theatergruppe. Er besteht sein Abitur „mit dem nötigen Erfolg" (ebd.) und setzt seine Begeisterung für die französische Sprache in Gedichte und Theaterstücke um. 1940 tritt Gatti (eigentlich Dante) in die Résistance ein. Und so charakterisiert und beschreibt Birbaumer Gatti:

> *„Gatti, nomen est omen, gleicht den Katzen, zu deren Zähheit sich ein Revolutionär wie Che Guevara bekannt hat: man schlägt sie, man überfährt sie, man wirft sie an Mauern. Aber sie haben sieben Leben und erheben sich ein achtes mal. So war es, legen wir das Bild auf Gattis Biografie um, in Corrèze, so war es im KZ bei Hamburg, im Arbeitslager bei Bordeaux, in Guatemala, in Korea (wo sich Gatti für die „nordistes" einsetzte) und so war es schließlich in Paris bei den Demonstrationen und Streiks von 1957 und 1968, wo ihn die Polizei jedesmal niederknüppelt (...). Er ist ein Partisan in Theorie und Praxis, im politischen Leben wie in der Praxis der kulturellen Kommunikation: 1961 dreht er in Slowenien den Partisanenfilm „l'Enclos" (Birbaumer, 1981, 317/318).*

Seit 1940 war Gatti Mitglied des französischen Widerstands gegen die Nationalsozialisten, was zu der zuvor erwähnten Deportation nach Hamburg führte. 1945 versucht Gatti sich mit journalistischen Arbeiten in Paris durchzuschlagen und schreibt Theaterstücke. Über den Weg der Gerichtssaalberichterstattung gelangt er zu Großreportagen, für die er Preise erhält (vgl. Birbaumer, 1981, 319). Als Reiseberichterstatter ist er in den folgenden Jahren in Guatemala, China, Sibirien und Korea tätig und dreht eine Reihe von Dokumentarfilmen. Sein Engagement gilt den Arbeitern und den aufmuckenden Studenten im eigenen Land, den Landarbeitern und den anderen Rechtlosen in Lateinamerika und im Fernen Osten, den unterdrückten Minderheiten. Dies spiegelt sich in seinen Stücken wider (vgl. Birbaumer, 1981, 320).

42

Seit 1957 schreibt Gatti regelmäßig Stücke für das Theater. „L´enfant rat" (1960) und „La deuxième existence du Camp de Tatenberg" (1962) beschäftigen sich mit den Konzentrationslagern der NS-Zeit. Aber auch Stücke wie „Le voyage du Grand´Tchou" (1960) entstehen, die einen vordergründig politischen Ansatz nicht besitzen. Es handelt sich hierbei um eine dramatische Tierfabel, in der das Leben in einer kleinen französischen Provinzstadt mit den Augen der Katze des Bürgermeisters gesehen wird. „La vie imaginaire de l´éboueur Auguste G." ist Gattis Vater gewidmet und trägt autobiografische Züge. Eines der bedeutendsten Stücke für das institutionalisierte Theater ist „Chant public devant deux chaises électriques", daß von Gatti 1966 für das TNP im Palais du Chaillot inszeniert wird (vgl. Birbaumer, 1981, 325). Am Beispiel des Sacco und Vanzetti-Stoffes wird auf klassenkämpferische Situationen, auf Fälle der Klassenjustiz in den Vereinigten Staaten hingewiesen. Birbaumer beschreibt wie folgt:

> *„Man begegnet in diesem Stück allerdings weder den Titelfiguren noch sonst einem wichtigen Vertreter der amerikanischen Arbeiterbewegung. Gatti hat vielmehr fünf Spielorte in Amerika und Europa gewählt (Boston, Los Angeles, Lyon, Turin und Hamburg) sowie fünf verschiedene Publikumsgruppen imaginiert, an denen an ein und demselben Abend ein „Sacco und Vanzetti"-Stück gespielt und (unterschiedlich) reflektiert wird. Das tatsächliche Publikum reagiert auf fünf Bühnen-Publikums-Gruppen. Es findet also eine „Multiplikation des Publikums" statt, eine Spiegelung des tatsächlichen Publikums im Bühnenpublikum. Bei Gatti wird die Reaktion des Zuschauers Gegenstand der Bühnenwirklichkeit. So identifizieren sich im Verlauf der Darstellung der Hintergründe des Justizmordes an Sacco und Vanzetti auf den Bühnen in Turin und Lyon ein italienischer und ein französischer Arbeiter immer mehr mit den beiden Ermordeten: Solidarität in der Welt der Erniedrigten" (Birbaumer, 1981, 325).*

Klein ordnet das Theater Armand Gattis in Anlehnung an die Definition von Siegfried Melchinger dem politischen Theater zu (Klein, 1975, 8). Wobei Gatti analog zu Boal den Begriff „politisches Theater" noch weiter faßt. Nach seiner Ansicht ist jedes menschliche Tun und jede Form von Literatur im Grunde politisch (vgl. ebd.). Seine Hinwendung zum Zuschauer soll im folgenden näher beschrieben werden.

3.3.2 Armand Gattis Theaterarbeit im Übergang zur paratheatralischen Aktion

Wie Boal so mußte sich auch Gatti in der Konfrontation mit Zensur über die Weiterentwicklung seines Theaters Gedanken machen. „La passion du Général Franco" wurde 1969 vor dem Hintergrund der hispanofranzösischen Beziehungen in Paris verboten. Von diesem Zeitpunkt an hat es lange gedauert, bis wieder ein Stück von Gatti in Frankreich publiziert oder aufgeführt wurde. Von der Presse und vom sogenannten „großen Publikum" ignoriert, wandte er sich der paratheatralischen Aktion zu (vgl. Birbaumer, 1981, 332). Als erstes Beispiel für diese Art von Theater sei sein Impromptu[12] „L´interdiction de la passion du Général Franco" erwähnt. Es wurde erstmals durch die „Groupe V" im Théâtre de la Cité aufgeführt. Formal stellt sein Impromptu eine Art Burleske mit Raum für Imrovisationen dar. Es war eine Reaktion auf die Repressionen des Franco-Regimes und auf den politischen und kulturellen Gaullismus (vgl. Birbaumer, 1981, 332). Sein Auszug aus dem institutionalisierten Theater begründet Gatti damit, daß er dort nicht das Publikum erreiche, was er erreichen wolle. Einem fast ausschließlich bürgerlichem Publikum politische, „linke" Geschichten zu erzählen, grenze nach Gatti entweder an Unwissenheit oder an Masochismus (vgl. Birbaumer, 1981, 333).

Ein weiteres Merkmal für die Abkehr vom traditionellen Theater – und darin sind sich Boal und Gatti nicht fremd – ist die Möglichkeit, Theater an jedem Spielort rasch disponibel zu machen und den technischen Aufwand stark zu reduzieren. Die „minipièces" von Gatti sind ein Beispiel dafür: Sie sind mit einer geringen Anzahl von Rollen versehen (1 – 7) und für ihre Aufführung ist weder ein großes Budget noch ein traditioneller Spielort nötig. Für die Inszenierung der „minipièces" spielt es keine Rolle mehr, ob die Schauspieler Amateure oder professionell ausgebildete

Schauspieler sind. Diese Stücke dienen der Kontaktaufnahme mit dem „Zielgruppenpublikum" am Arbeitsplatz oder in den Wohnvierteln. Wobei Gatti selbstkritisch anmerkt, daß die Menschen bei Schlechtwetter wegbleiben oder die Fabrikarbeiter nach der Schicht möglichst rasch nach Hause wollen und die Aktionen als lästig empfinden (vgl. Birbaumer, 335). Nach Birbaumers Ansicht ist für Gatti das Bedeutsame der „minipièces" die Nähe zu den Erfahrungen des Alltagslebens. Das Schicksal einer Krankenschwester z.b. in „Pourqoui des animaux domestiques?" spricht besonders die Arbeiter und insbesondere weibliche Arbeitskräfte an. Wirklich einbezogen in einen gemeinsamen Arbeitsprozeß werden die Zuschauer bei den „minipièces" allerdings noch nicht. Allmählich beginnt Gatti die Reaktionen des Publikums auf seine Texte produktiv umzusetzen wie zum Beispiel im Prozeß von „Interdit aux plus de trente ans" zu „Le chat sauvage". Der Text des Stückes „Interdit aux plus de trente ans" – eine sehr persönliche Einschätzung Gattis der 68er Generation – wurde den diversen Publikumsgruppen vorgelegt und aufgrund ihrer Reaktion neu geschrieben (vgl., Birbaumer, 1981, 337). Ansätze einer „écriture collective", wie Gatti es bezeichnet, findet man in den „Treize Soleils". Gatti versucht sich gemeinsam mit Schauspielern in die Lage des Autors zu versetzen. Ein brain storming darüber, was die Gruppe innen- und außenpolitisch bewegt, fließt in die Erstellung dieses Stückes ein. In den sogenannten „lectures" Gattis sollen seine Texte getestet werden (wahrscheinlich im Bezug auf deren Verständlichkeit und im Bezug darauf, welche Reaktionen sie beim Publikum auslösen) und, um sie von den Betroffenen ergänzen und verändern zu lassen (vgl. Birbaumer, 1981, 341).

Auch hier drängen sich Vergleiche mit der Theaterarbeit Boals auf. Zum Beispiel bei der Erstellung neuer Gesetzesentwürfe beim Legislativen Theater. Hier sammelt und notiert Boal die Reaktionen seines Publikums. Zunächst befragt er die Bevölkerung nach ihren Problemen, arrangiert daraus Forumtheaterszenen und fixiert die Reaktionen schriftlich. Diese Reaktionen in Form von Vorschlägen, Argumenten oder Tatsa-

---

[12] Stegreiftheaterstück/Stegreifgedicht

chenschilderungen werden auf die mögliche Formulierung eines neuen Gesetzesentwurfes hin untersucht.

Vor und nach Aufführungen in Kulturzentren oder in Fabriken versucht Gatti durch tagelange Gespräche die Zuschauer auf das Stück vorzubereiten und auch nach den Aufführungen den Dialog fortzusetzen. Das kollektive Erarbeiten und Aufführen eines Dramentextes ist die neue Arbeitsweise Gattis. Ein intensiver Versuch, an die Bevölkerung heranzukommen, stellt das Theaterexperiment mit belgischen Bauern dar, das ich im folgenden Kapitel näher beschreiben möchte.

3.3.3 Theaterexperiment im ländlichen Belgien

Um Menschen, die noch nie eine Theateraufführung besucht hatten, zu erreichen, ließ sich Gatti mit seiner Truppe in dem Brabanter Dorf Bousval nieder und versuchte unter widrigsten Bedingungen, die Probleme dieser Menschen kennenzulernen und in ein Drama umzusetzen (vgl. Klein, 1975, 284). In einem Interview mit Andreas Müller erzählt Gatti wie folgt:

> *„In Belgien habe ich mir ein Dorf als Bühne ausgesucht und ein Jahr dort gewohnt. Ich gab den Einwohnern das Thema: Mann und Frau im Zusammenleben. Zunächst kein Interesse. Nur Rentner über siebzig machten mit. (...) dann boten wir – ich und mein Team – den Bauern an, auf ihre Kinder aufzupassen. Über die Kinder gelang langsam der Kontakt zu den Eltern. Wir kamen dahinter, daß sie unser Thema nicht interessierte. Sie wollten sich lieber mit den Agrarproblemen innerhalb der EWG befassen. Diskussionskomitees wurden gegründet" (Gatti zitiert nach Müller in: Abendzeitung vom 14.02.1974)*

Doch die Theatergruppe flog aus dem Dorfverband heraus, wurde nicht akzeptiert. Reicher an Erfahrung ließen sie sich in Bauernhöfen der näheren Umgebung nieder. In einem Dorf prangerte der Pfarrer die Komödiantengruppe an, die das Dorf nur verderben wolle, wohingegen der Wirt des Dorfgasthauses, der sich als stärkere Persönlichkeit und in Opposition zum unbeliebten Pfarrer durchsetzte, dafür sorgte, daß Gattis Gruppe bleiben durfte (vgl. Birbaumer, 1981, 365). Zwischendurch arbeitete

46

Gattis Gruppe auf den Feldern. Die Bevölkerung spendete auch Naturalien. Auf den erneuten Versuch der Gruppe, Erwachsene zu den Mann-Frau-Beziehungen zu befragen, erhielt die Theatergruppe stereotype Antworten, die eine heile Welt des Familienglücks darstellten. Nur die Erfindungsgabe der Kinder, die sich zu diesem Thema in einer Malaktion betätigen sollten, ergab ein viel differenzierteres Ergebnis. Gatti und seine Mitarbeiter waren Sammler von Problemen und Ideen, wobei sich die Dorfjugendlichen als Mitautoren betätigten und ältere Dorfbewohner sich als Mitorganisatoren engagierten. Gemeinsam entsteht das Stück „L´Arche d´Adelin", daß eine politisch und soziologisch brisante Geschichte für diese Gegend darstellt (vgl. Birbaumer, 1981, 368 ff). Gatti betont die Produzentenhaltung der Dorfbewohner, die für dieses Schauspiel schöpferisch tätig waren. Der Stoff des Stückes ist ihr eigener, aus ihrem Alltag entnommen und behandelt Themen wie Zerstörung der Landschaft, Zerstörung der bäuerlichen Familienstruktur mit Vereinsamung als Folgeerscheinung, rücksichtslose Urbanisierung und deren Auswirkung für die Dorfgemeinschaft (vgl. ebd.). Das Stück wurde am 21. März 1973 ca. acht Stunden lang an wechselnden Schauplätzen aufgeführt. Wobei die Aufführung nicht als entscheidend angesehen wurde:

> *„Für mich liegt der Erfolg darin, daß (...) ungefähr 1000 Menschen für dieses Schauspiel schöpferisch tätig waren. Heute ist der Abschluß: (...) Alle hier versammelten Menschen sind schöpferisch tätig. Sie sind an der Inszenierung und am Drehbuch beteiligt. Jeder – egal welchen Alters – empfindet den Gegenstand der Handlung entsprechend seiner Empfindung. Wir wollen ein Schauspiel mit Schaffenden und nicht mit Konsumenten" (Gatti zitiert nach Klein, 1975, 285).*

Die Aufführung als solche ist nicht mehr so wichtig für die Theaterarbeit Armand Gattis, sondern der gemeinsame Prozeß und die gemeinsame Auseinandersetzung von Normalbürgern mit einem Problem, daß ihrem gemeinsamen Alltag, in den sich Gatti mit seinem Team über Monate integrierte, entnommen wird. Unter diesen Umständen nahmen die Inszenierungen einen volksfestähnlichen Charakter an (vgl.

Klein, 1975, 286). Wohingegen Birbaumer die Aspekte Animation, Stadtviertelarbeit, Fest als kulturelle Revolte, politische Solidaritätsveranstaltung, Straßentheater als soziokulturelle Animation, als paratheatralisches Soziodrama gar als Psychodrama im Vordergrund stehen sieht.

Es wäre sicherlich interessant die Arbeit Armand Gattis weiterzuverfolgen. Ebenfalls von Bedeutung ist der Vergleich des Theaters der Unterdrückten mit dem Theater von Dario Fo oder der Theaterarbeit von Asja Lacis, deren Straßenaktionen der 20er Jahre mit dem Unsichtbaren Theater von Boal vergleichbar wären. Im Zusammenhang mit der Theaterarbeit mit Amateuren und Unterprivilegierten bieten auch Schlingensiefs Theaterexperimente, wie zum Beispiel das im Juni 2000 in Österreich stattfindende Container-Theaterprojekt mit Asylanten, Überschneidungen mit Boals Ansatz eines Theaters der Unterdrückten. Auch wenn die Provokation der österreichischen Bevölkerung mehr im Vordergrund steht als konkrete Hilfe für Unterprivilegierte. Jedoch würde es den Rahmen dieser Diplomarbeit sprengen, weitere Vergleiche mit alternativen, politisch-motivierten Theaterformen zu ziehen. In diesem Kapitel über Armand Gatti war es meine Intention - neben Augusto Boal - einen weiteren Vertreter politschen Theaters mit der Absicht der Aktivierung des Zuschauers darzustellen. Gemeinsamkeiten habe ich versucht im Laufe des Kapitels anzudeuten. Jedoch läßt sich auch die Abgrenzung zum Theater der Unterdrückten erkennen. Zwar geht es beiden um die Darstellung sozial brisanter Themen und um die eigene Darstellung durch die Amateurspieler, jedoch legt Boal einen viel größeren Wert auf die konkret im Spielen zu entwickelnden Alternativen, die dem Einzelnen in einer Konfliktsituation helfen sollen. Armand Gatti hingegen läßt den Amateurdarsteller die Probleme künstlerisch darstellen und durchdenken. Sein Theater kann zu einer kollektiven Solidarisierung und zu politischem Widerstand in Form von Protesten aber auch zur politischen Teilhabe an der Macht animieren und zeigt darin dessen westeuropäische Wurzeln im Vergleich zu Boals lateinamerikanischem Hintergrund.

48

4 Die Techniken des Theaters der Unterdrückten

Zunächst möchte ich in diesem Kapitel eine Definition von Theater nach Boal und die Stellung und Funktion des Zuschauers in dieser Theaterdefinition vornehmen. Darauf aufbauend werde ich vier wichtige und wohl auch die bekanntesten Theatertechniken Augusto Boals beschreiben. Mit der Darstellung der Weiterentwicklung und Ausdiffernzierung der Techniken, die in Boals neuestem Buch, „Der Regenbogen der Wünsche – Methoden aus Theater und Therapie" beschrieben wird, möchte ich das Kapitel schließen.

4.1 Augusto Boals Definition von Theater

Augusto Boals Theater der Unterdrückten ist in erster Linie ein Theater für das Volk. In diesem Zusammenhang unterscheidet Boal zwei Perspektiven. Zum einen die Perspektive seines Theaters:

> *„Theater ist für das Volk, wenn es die Welt aus der Perspektive des Volkes sieht, das heißt, in unaufhörlichem Wandel begriffen, mit allen Widersprüchen und der Bewegung dieser Widersprüche, wenn es Wege zur Befreiung der Menschen zeigt. Diese Perspektive macht deutlich, daß Menschen, die durch Arbeit, Gewohnheiten, Traditionen versklavt wurden, ihre Situation ändern können. Alles befindet sich in Veränderung. Diese Veränderung gilt es voranzutreiben". (Boal, 1989, 17).*

Dieser Perspektive des Volkes wird die Perspektive des bourgeoisen Theaters gegenübergestellt, das darauf beharrt, das gegenwärtige System als beste aller möglichen Welten darzustellen (vgl. Boal, 1989, 17). Boal räumt jedoch ein, daß ein Großteil des bourgeoisen Publikums in Brasilien sich aus dem Kleinbürgertum, aus Angestellten, Studenten und Lehrern zusammensetzt. Diese würden zwar „denken wie die Bourgeois" (Boal, 1989, 18), führen aber nicht einen entsprechenden Lebensstil. Aus dieser Diskrepanz heraus seien sie „politisch labil und anfällig" (Boal, ebd.) und die Wahrscheinlichkeit sei groß, daß dieses Publikum für eine Perspektive des Volkes offen ist. Boal macht Volkstheater, damit der schweigenden Mehrheit, um deren Gunst auch die reaktionären Regierungen kämpfen, das Wort zurückgegeben wird.

Den traditionellen Theatertheorien setzt Boal seine „Poetik der Befreiung" entgegen (vgl. Boal, 1979, 6). Für Boal bedeutet Volkstheater die Befreiung von Unterdrückkung. Unterdrückte und Volk sind für Boal nahezu vergleichbare Begriffe (vgl. Thorau, 1982, 53). Doch „Boal möchte das Theater der Unterdrückten nicht als Klassentheater verstehen. Es gibt für ihn keine unterdrückten Klassen, sondern „die Unterdrückten" schlechthin" (Thorau, 1982, 56). Dieser Gedanke Boals kann als eine Distanzierung von allzu simplen Etikettierungen wie eines parteilich eindeutig festgelegten Agittheaters verstanden werden. Durch Boals Erfahrungen in Europa erfährt auch sein Begriff von Unterdrückung zunehmende Differenzierung. Während in Lateinamerika Unterdrückung oft mit Folter, Terror und Ausbeutung in Zusammenhang gebracht wird, tritt in Europa die „psychische Misere" (Thorau, 1982, 58) in den Vordergrund. Unterdrückung ist die Folge gesellschaftlicher Gewaltzusammenhänge, die gegen die Interessen und Bedürfnisse der einzelnen gerichtet sind. Durch Bewußtmachung (consientizacao)[13] dieser Zustände und Zusammenhänge soll ein gesellschaftsverändernder Prozeß eingeleitet werden (vgl. Frey, 1989, 4).

4.1.1 Der Zuschauer im Theater der Unterdrückten

Die Aufhebung der Trennung in aktive Spieler und passive Zuschauer ist ein Stilmerkmal des Theaters der Unterdrückten, was es von traditionellen oder konventionellen Formen des Theaters unterscheidet. Kaum ein Theater ist in einem solchen Maße daran interessiert, den Zuschauer zum Handelnden zu machen, ihn zur Aktion

---

[13] „Der Begriff consientizacao im Sinne von Bewußtseinsbildung bedeutet den Lernvorgang, der nötig ist, um soziale, politische und wirtschaftliche Widersprüche zu begreifen und um Maßnahmen gegen die unterdrückerischen Verhältnisse der Wirklichkeit zu ergreifen" (Freire, 1973, 25)

zu bringen. Im Grunde ist die Methode des Theaters der Unterdückten die Aktivierung des Zuschauers. Für Boal ist Zuschauer-sein vergleichbar mit Unterdrückt-sein (vgl. Boal, 1979, 119). Boal schreibt dazu:

> „Zuschauer – welch eine Beleidigung! Der Zuschauer, das passive Wesen par excellence, ist weniger als ein Mensch. Es tut not, ihn wieder zum Menschen zu machen, ihm seine Handlungsfähigkeit zurückzugeben" (Boal, 1989, 66).

Anstatt dem Zuschauer fertige Weltanschauungen vorzuschreiben, haben die Volkstheatertechniken das Ziel der Befreiung des Zuschauers. Das bisherige Theater sei an die herrschenden Klassen gebunden und würde infolgedessen deren Bilder reproduzieren. Boal sieht den Zuschauer als Opfer dieser Bilder an (vgl. Boal, ebd.). Und weiter wünscht sich Boal:

> „Der Zuschauer, passives Wesen, Objekt, soll zum Protagonisten der Handlung, zum Subjekt werden. (...) Solange der Zuschauer nicht selbst die Handlung bestimmen kann, solange er nicht selbst handelt, ist jedes „Schauspiel" eine Zwangsjacke, eine Vorschrift wie die Praxis autoritärer Erziehung, und der Zuschauer ein Wesen, dem eine Kulturpille nach der anderen eingefüttert wird. Und der Schauspieler wird zum Automaten degradiert, der die Kulturpillen ausspuckt. Manipulation!" (Boal, 1979, 158 ff).

Als aktiver Mitgestalter der Handlung muß der Zuschauer neu definiert werden. Zum einen wird der Zuschauer zum Protagonisten und damit vom Objekt zum Subjekt, vom Opfer zum Handelnden, vom Konsumenten zum Produzenten. Zum anderen wird der Zuschauer zum Probehandelnden, der reale Handlungen vorbereitet, die seine Befreiung einleiten. Nach Boal sollte das Theater sich nicht nur mit der Vergangenheit beschäftigen, sondern auch mit der Zukunft. Damit die Realität nicht nur interpretiert, sondern auch verändert wird, soll der Zuschauer, der in einer Forumtheater-Sitzung zu einem Akt der Befreiung fähig gewesen war, auch draußen im Leben diesen Akt vollbringen (vgl. Boal, 1989, 68/69). Durch Dynamisierung des Zuschauers sollen seine Fähigkeit zu Wandlung stimuliert werden. Im theatralen Spiel findet sie ihren Ausdruck. Balby zum Begriff Extrapolation:

> *„Eine derartige Stimulierung ist letztendlich nur sinnvoll, wenn es zur soge-nannten Extrapolation kommt, d.h. wenn es dem Zuschauer gelingt, die sze-nisch erprobte Befreiung auch tatsächlich in die eigene Wirklichkeit zu über-tragen" (Balby, 1997, 9).*

Dies kann nur funktionieren, wenn der spielende Zuschauer sich mit den dargestell-ten Szenen identifizieren kann, wenn er von den in den Szenen dargestellten Kon-flikten selbst betroffen ist (vgl. Boal, 1979, 25). Die Betroffenheit des Protagonisten soll mit Hilfe der Technik der Multiplikation zu einer Betroffenheit der gesamten Gruppe führen (vgl. Balby, 1997, 11).

Für Boal sind alle Menschen Schauspieler, die in ihrem sozialen Verhalten Rollen spielen. Es ist nicht nur das Privileg des Künstlers, Schauspieler zu sein. (vgl Neu-roth, 1994, 35).

Damit nimmt Boal Abstand von einer den Schauspieler perfektionierenden Schau-spieltechnik. Nicht der professionelle Schauspieler ist gefragt. Für Boal hat „jeder-mann (...) künstlerische Fähigkeiten" (Boal, 1989, 69). Nur die zunehmende Unter-drückung durch Erziehung, durch familiäre Strukturen, durch Schule und Arbeitsbe-dingungen ist dafür verantwortlich, daß die künstlerischen Ausdrucksmöglichkeiten eingeschränkt sind (vgl. ebd.).

Boal kritisiert das aristotelische Theater, weil es den Zuschauer durch Einfühlung und Distanzlosigkeit zum Geschehen zu einem passiven Wesen macht. Der Schau-spieler denkt und handelt stellvertretend für den Zuschauer. In der Poetik Brechts soll der Zuschauer aus dieser distanzlosen Sehweise gebracht werden. Mit Hilfe der Mittel des epischen Theaters soll dem Zuschauer kritische Distanz und eine alterna-tive Sichtweise ermöglicht werden. Zwar ordnet Boal Brechts Theater einem Theater der Bewußtmachung zu, in dem der Zuschauer keine Figur mehr ermächtigt, für ihn zu denken, aber in Brechts epischen Theater ermächtigt der Zuschauer den Schauspieler (mit Ausnahme der Lehrstücke Brechts) nach wie vor „für ihn zu handeln" (Boal, 1979, 66).

Boal spricht sich gegen ein didaktisches Theater Brechts aus, denn:

> *„Das didaktische Theater geht von der gleichen Subjekt-Objekt-Konstellation aus: Lehrer-Schüler, Bühne-Publikum, Sender-Empfänger, aktiv-passiv, lebendig-tot" (Boal, 1979, 8).*

Seine Poetik der Befreiung geht in dieser Hinsicht über die Poetik Brechts hinaus. Hier ermächtigt der Zuschauer keine Figur mehr „für ihn zu denken noch zu handeln" (Boal, 1979, 6).

4.2 Die Entwicklung vom Zuschauer zum Handelnden – Von der Körperarbeit bis zur Theater-Probe

Die Entwicklung vom Zuschauer zum Handelnden verläuft in einem vier-phasigen Prozeß. Die erste Phase widmet sich der Körperarbeit. Boal beschreibt dies als einen Prozeß der Bewußtwerdung unseres eigenen Körpers:

> *„Wir fangen mit dem Körper an. Der Teilnehmer soll sich seines Körpers bewußt werden, seiner körperlichen Vermögen ebenso wie der Deformationen, denen sein Körper durch die ihm auferlegte Arbeit ausgesetzt ist. Das heißt jeder einzelne soll die „Muskel-Entfremdung" spüren, der er unterworfen ist. Wir vergleichen z.B. die Muskelstrukturen eines Büroangestellten mit denen eines Bergmanns"(Boal, 1989, 48).*

Gewisse „Muskelstrukturen" (ebd.) bilden sich entsprechend der jeweiligen Arbeitshaltung aus. Durch die Übungen sollen die Teilnehmer ihre Mukelstrukturen wahrnehmen, damit sie sich ihrer bewußt werden. Eine der Übungen in dieser Phase ist der „Wettlauf im Zeitlupentempo":

„Der Letzte gewinnt. Bei dieser Balance- und Bewegungsübung geht es darum, das Schwerkraftzentrum Zentimeter um Zentimeter zu verlagern und das Gleichgewicht immer neu zu finden. Die Teilnehmer dürfen die Bewegung nicht unterbrechen und stehenbleiben; sie sollen möglichst große Schritte machen und die Füße über Kniehöhe anheben. Ein Wettlauf dieser Art über eine Strecke von zehn Metern kann anstrengender sein als ein 500-Meter-Lauf"(Boal, 1989, 48).

Mit diesen Übungen kann ein Verständnis dafür geschaffen werden, wie sehr der eigene Körper durch die jeweilige Arbeit geprägt wird (vgl. Boal, ebd.). Außerdem fördern sie die Fremdwahrnehmung, in dem man sich der Körperlichkeit anderer bewußter wird.

Die darauf folgende Phase fördert nach dieser ersten Sensibilisierung vor allem das non-verbale Ausdrucksvermögen der Teilnehmer. Dementsprechend werden in dieser Phase - Boal nennt sie „Seinen Körper ausdrucksfähig machen" – Pantomimegruppen- oder Rhythmusspiele eingesetzt. Boals Empfinden nach ist unsere ganze Erziehung fast ausschließlich auf verbale Kommunikation beschränkt, was zur Folge hat, daß unser körperliches Ausdrucksvermögen verkümmert (vgl. Boal, 1989, 50). In diesem Zusammenhang führt er als Beispiel das Tierspiel an, bei dem sich die Teilnehmer körperlich entsprechend der Eigenart eines Tieres bewegen und gleichzeitig ihren weiblichen oder männlichen Gegenpart in der Gruppe erkennen sollen. Wichtig ist, daß nicht gesprochen wird und keine eindeutigen Laute ausgestoßen werden (vgl. ebd.). Die Teilnehmer können auch selbst neue Spiele erfinden.

In der Phase „Theater als Sprache" nimmt die Theaterarbeit konkrete Züge an, denn es kommt zur Auseinandersetzung der Teilnehmer mit verschiedenen Themen:

„Diese Phase läuft über drei Stufen. Jede unterscheidet sich von der anderen und bedeutet einen weiteren Schritt in der direkten Mitwirkung des Zuschauers am Schau-Spiel, in seiner Entwicklung von der Objekt-Rolle zu der des Subjekts. Die vorangegangenen Phasen konzentrieren sich auf die Arbeit des

Teilnehmers an seinem Körper. In dieser Phase liegt der Schwerpunkt auf dem Diskussionsthema, sie geleitet den Zuschauer zum Handeln" (Boal, 1989, 51).

Dabei kommt es nicht auf das fertige Produkt an, sondern um eine bildhaft szenische Umsetzung eines Themas, die das verändernde Eingreifen des Zuschauers erlaubt (vgl. Balby, 1997, 14). Die „Simultane Dramaturgie", das Statuen- und Bildertheater und das Forumtheater werden hier als drei aufeinander aufbauende Techniken eingesetzt. Bei der „simultanen Dramaturgie" spielt der Zuschauer noch nicht selbst, sondern gibt von außen Anregungen für die Spielweise der Darsteller. Er kann auch ein Sujet für eine Szene vorschlagen. (vgl. Boal. 1989, 51). Die beiden anderen Techniken (Statuen- und Bildertheater und Forum-Theater) werden im folgenden noch näher beschrieben.

Die vierte Phase „Theater als Diskurs" widmet sich den Techniken wie Unsichtbares Theater, Fotoroman-Theater, Mythostheater, Soziale Masken und Rituale (vgl. Boal, 1989, 58 ff). Das Fotoroman-Theater versucht das in Brasilien sehr beliebte Genre des Fotoromans kritisch zu durchleuchten, ähnlich dem Zeitungstheater, daß sich vorrangig mit Texten auseinandersetzt. Die Fotoromane, die von Boal als „der ärgste Schund" (Boal, 1989, 61) bezeichnet werden, sind eine Kombination aus Fotos und Sprechblasentexten. Boal benützt zum Beispiel den Sprechblasentext eines Fotoromans als Vorlage für eine Szene (z.B. Ehemann kommt von der Arbeit nach Hause, Frau empfängt ihn). Beim Vergleich der entstandenen Szenen mit den Fotos der Fotoromane (Bilder einer wohlhabenden Schicht) werden die sozialen Unterschiede deutlich gemacht (vgl. ebd.).

Um Entmystifizierung geht es beim Mythostheater, das aufdecken will, was hinter Sagen, Märchen und Volksaberglauben steckt (vgl. Boal, 1989, 62). Der Münchner Theaterpädagoge Fritz Letsch setzt Märchen- und Symbolgeschichten ein, um an „heiße" Themen zu kommen (Letsch, http://home.t-online.de/ home/ Fritz.Letsch/). Für ihn stehen Mythen und Mythologien als Schlüssel zu bestimmten Fragen wie Religion oder Sexualität zur Verfügung. Werden die Märchen nicht wie heilige Kühe behandelt, sondern ins Spiel gebracht, können sie hilfreich sein (vgl. http://home.t-online.de/ home/ Fritz.Letsch/). Die Phasen „Theater als Sprache" und „Theater als Diskurs" haben die gemeinsame Zielsetzung, eine offene Form zu schaffen. Nach Balby ist eine kategoriale Unterscheidung problematisch (vgl. Balby, 1997, 15).

4.3 Zeitungstheater

Nach dem Militärputsch vom 13. Dezember 1968 wird es für Boal beinahe unmöglich, „Volkstheater vor einem größeren Publikum zu spielen" (Boal, 1989, 28). Gewerkschaften, Schulen und Hochschulen werden von Polizei und Militär kontrolliert. „Selbst Veranstaltungen ohne politischen Charakter mündeten, sofern sie von Gewerkschaften organisiert waren, in Massenverhaftungen" (ebd.). Um Boals Volkstheater in dieser Situation fortzusetzen, werden neue Formen des Theaters wie das Zeitungstheater gefunden[14]. Für Boal ist es eines der ersten Theaterformen ohne die „zwischengeschaltete, vermittelnde Gegenwart des Künstlers" (Boal, 1989, 29). Das Volk wird hier zum Produzenten seines eigenen Theaters. Das Ziel des Zeitungstheaters ist es, die sogenannte Objektivität der Presse zu entlarven. Die Menschen sollen „richtig lesen" und „lernen". Dabei soll die Aufmerksamkeit auf bei der Rezeption wichtige Faktoren gelenkt werden. Zum Beispiel die Plazierung einer Nachricht, die Rückschlüsse auf deren Wertigkeit zuläßt. Boal erwähnt in diesem Zusammenhang die Tatsache, daß „private Dramen, Liebesaffairen gekrönter Häupter, Lottogewinne auf Seite 1 bis 8 stehen" (ebd.), wohingegen „Mißernten und Epidemien" (ebd.) als eine Meldung unter vielen dargestellt werden. Auch die Wahl der Schrifttype, die Schlagzeile, der Umbruch, der Einsatz und die Gestaltung von Karikaturen sollen Beachtung finden. Daß die Schlagzeilen dem brasilianischen Fußball nicht aber der großen Kindersterblichkeit gelten, ist für Boal keine objektive Berichterstattung, sondern „in Wirklichkeit die Fiktionstechnik der bürgerlichen Pres-

---

[14] Das Zeitungstheater entstand 1971 kurz bevor Boal Brasilien verlassen mußte (vgl. Boal, 1989, 30)

se" (ebd.). Durch das Zeitungstheater soll die „Realität der Fakten" (ebd.) wiederher-
gestellt werden, indem die „einzelne Meldung aus dem Zeitungskontext herausge-
löst" wird und „ohne verzerrende Vermittlung direkt vor den Zuschauer" (ebd.) gestellt wird. Dieser Anspruch schließe aber nicht aus, daß es ebenfalls betont spielerische Techniken des Zeitungstheaters, wie zum Beispiel das „rhythmische Lesen"
gibt. Auch politische Reden, Werbeslogans, Schulbücher (eine Gruppe, mit der Boal
arbeitete, war darauf spezialisiert, Geschichtsbücher in korrigierter Fassung vorzu-
tragen), die Bibel, Statistiken, Dokumente, Versammlungsprotokolle, literarische
Werke, wissenschaftliche Texte können als Arbeitsmaterial verwendet werden (vgl.
Boal, 1989, 30). Im Sinne eines erweiterten Kunst- und Kulturbegriffs (vgl. Birbaumer, 1981, 271) gilt Boals Aussage:

> *„Jeder kann Zeitungstheater machen. Sowie jeder seine Ideen in einer Ver-
> sammlung darlegen kann, ohne die Kunst der Rhetorik zu beherrschen, so
> kann jeder, können wir alle uns der Ausdrucksmittel des Theaters bedienen,
> ohne professionelle Schauspieler zu sein. Es geht nicht darum, ein Kunstwerk
> zu schaffen. Jeder kann Künstler sein, jeder Raum kann zum Theaterraum
> werden, jedes Thema ist ein Thema fürs Theater" (Boal, 1989, 30).*

*Das Zeitungstheater ist eine Technik mit deren Hilfe die Menschen sich mit der Dar-
stellung der brasilianischen Wirklichkeit durch die Medien auseinandersetzen können. So werden die Mechanismen der bürgerlichen Presse offengelegt und alternativen Darstellungsformen gegenübergestellt. Aus der Perspektive des Volkes können
sich die Bedeutungen und Inhalte der Texte verändern. Boal hat elf Techniken des
Zeitungstheaters entwickelt, die einzeln, aber auch in Kombination angewendet werden können:*

1. Das einfache Lesen, wobei die Meldung kommentarlos aus dem Kontext heraus-
   gelöst vorgelesen wird. Eingängiges Beispiel ist das in allen Zeitungen veröf-
   fentlichte Menü des Banketts eines bekannten brasilianischen Politikers, das zu

Ehren eines amerikanischen Botschafters gegeben wurde. „Es wurden lediglich die einzelnen Gänge zitiert. Beim Hors d'oeuvre lachte das Publikum noch. Beim Hauptgericht verstummte das Lachen. Spätestens dann erinnerten sich die Zuhörer, daß der amtierende Präsident für die Dauer von vier Monaten den Verzehr von Rindfleisch im ganzen Land verboten hatte" (Boal, 1989, 30).

2. Das vervollständige Lesen versucht die Unterschlagung wesentlicher Informationen durch die bürgerliche Presse wieder rückgängig zu machen. Es ergänzt durch die entsprechenden Hintergrundinformationen die Meldung. Ein Beispiel aus Boals Buch ist ein Slogan auf einem Wahlplakat, der wie folgt lautet: "Wer die Freiheit liebt, wählt Stroessner". Ein Unbekannter, der den Spruch auf einem Plakat an einem Flughafen vervollständigte, enthüllte die angeblich demokratischen Wahlen in Paraguay mit dem Beisatz „andernfalls holt dich die Polizei!" (vgl. Boal, 1989, 31).

3. Das gekoppelte Lesen konfrontiert sich widersprechende Meldungen miteinander. „Nicht selten bringen Zeitungen in ein- und derselben Ausgabe Meldungen, die einander widersprechen, sich gegenseitig dementieren oder aufheben. Nacheinander gelesen ergeben sie einen neuen Sinn" (Boal, 1989, 31). Boals Beispiele zeigen immer wieder die große Kluft zwischen arm und reich in Brasilien: „Wegen der alarmierend hohen Kindersterblichkeit wurde die Provinz San Juan zum Notstandsgebiet erklärt. Mitglieder einer Zeitungstheatergruppe verlasen in einem Vorortzug von Buenos Aires diese Meldung, gekoppelt mit einer Reportage über eine Schauspielerin, die im Fernsehen für Delikatessen warb. Die beiden Texte wurden kommentarlos vorgelesen: Käsesorten, Preise und Exportland, Zahl der verhungerten Kinder, Medikamentenpreise. Allein die Gegenüberstellung genügte, um ein neues Licht auf die Verhältnisse zu werfen" (ebd.).

4. Beim rhythmischen Lesen werden Politikerreden u. ä. in Samba-, Tango-, Walzer- oder Marschrhythmen vorgetragen. Die Texte erhalten so eine andere Be-

deutung. Für Boal eignen sich „deklamatorische Elemente" (Boal, 1989, 32) ebenfalls als „kritischer Filter" (ebd.) von Texten.

5. Durch das untermalte Lesen werden Phrasen wie „Brasilien: lieb es oder laß es!" als Untermalung, Refrain, Finale anderer Meldungen gebraucht. So wird zum Beispiel die Dokumentation des Bischofs Helder Câmara, die von der Zensur verboten wurde, mit einem Background oder Refrain untermalt. Da die „Politwerbesprüche" (ebd.) jedem Brasilianer durchs Fernsehen bekannt sind, gewinnen sie durch diesen neuen Kontext eine andere Bedeutung. Zum einen werden die brasilianischen Verhältnisse konterkariert mit den netten Slogans und Phrasen zum anderen wird die Funktion solcher Phrasen selbst bewußter gesehen (vgl. Boal, ebd.).

6. „Ebenfalls mit einer scharf konterkarierenden Technik wird beim pantomimischen Lesen gearbeitet. Der Meldungstext wird durch eine kontrastierende pantomimische Darstellung kritisiert und decouvriert" (Birbaumer, 1981, 269). Das von Boal geschilderte Beispiel eines Wirtschaftsministers (dargestellt von einem Schauspieler), der den Ernst der Lage schildert gleichzeitig am reich gedeckten Tisch sitzt, soll deutlich machen, daß der Ernst der Lage nicht dem Politiker gelte, sondern vor allem dem Volk (vgl., Boal, 1989, 33). Ein zugegeben recht simples Beispiel.

7. Beim improvisierenden Lesen „stellt man die Meldung szenisch nach" (Boal, 1989, 33). Diese Darstellung kann sowohl illusionistisch als auch ein emotionsloses Vorführen von Handlungen, Gesten usw. sein.

8. Das historische Lesen soll eine aktuelle Meldung in Bezug zu Vergangenheit oder Geschichte setzen (vgl. Boal, 1989, 33). Boal beschreibt diese Technik wie folgt: „Dargestellt werden Szenen, die ein ähnliches Ereignis in anderen historischen Augenblicken, anderen Ländern oder Gesellschaftsordnungen evozieren. Dabei werden verschiedene mögliche oder nicht mögliche Lösungen einer vergangenen Situation als Beispiel oder Gegenbeispiel für heute vorgestellt" (ebd.).

9. Das konkretisierende Lesen geht gegen das „abgenutzte Vokabular" (ebd.) der Medien vor, das die Informationen verstellt und die Wahrheit verschleiert. Diese Technik versucht darzustellen, was wirklich berichtet wird, was hinter der klischierten Sprache der Medien steckt (vgl. Birbaumer, 1981, 269). Leider wird kein konkretes Beispiel beschrieben.

10. Unter pointiertem Lesen versteht man die Reproduktion oder Kommentierung eines Textes in einem anderen Stil (Genre-Wechsel) (vgl. Boal, 1989, 34). Es kann zum Beispiel ein ernster Anlaß im Stil der Regenbogenpresse wiedergegeben werden. Dieses verfremdende Stilmittel schafft Distanz zum Gegenstand wie er zuvor dargestellt wurde, so daß andere Gewichtungen entstehen können.

11. Das Kontext-Lesen schließlich wendet sich gegen die Eigenheit der Medien, Details unangemessen aufzublasen, Einzelheiten hochzustilisieren, um so den tatsächlichen Background zu verschleiern (vgl. Birbaumer, 1981, 269). So befaßt sich eine Sendereihe des argentinischen Fernsehens mit dem Leben in Buenos Aires. Ein Fallbeispiel, bei dem ein Arzt durch eine gestellte Fehldiagnose als Mörder eines Kindes denunziert wird, wird in dieser Senderreihe mit den empörten Worten eines Kommentators begleitet: „Darf so etwas in einer Stadt geschehen, die sich zivilisiert nennt?" (Boal, 1989, 34). Um die Bedeutung einer solchen Beschuldigung angemessen zu betrachten, muß sie in den sozialen Kontext gestellt werden. In szenischen Darstellungen soll deshalb „über die Lebensbedingungen in den Slums, über die hohe Zahl von Kindern, die wegen fehlender ärztlicher Versorgung sterben, über die Arbeitsüberlastung eines Arztes, der, wie der „verantwortungslose Verbrecher" in der Reportage, seiner Pflicht bis zur physischen Erschöpfung nachkommt, wobei er die Armen meist noch kostenlos behandelt" (ebd.) informiert werden.

4.3.1 Das Zeitungstheater im deutschsprachigen Raum mit Berücksichtigung seiner pädagogischen Relevanz

Wenn auch nicht in der für Südamerika typischen Form, so hat das Zeitungstheater doch auch in der europäischen Theaterszene Eingang gefunden. Denn laut Birbaumer kann es sich kein politisches Volkstheater leisten, „an der üblichen Berichterstattung in den Massenmedien vorbeizugehen" (Birbaumer, 1981, 270). Das Zeitungstheater ist in verschiedenen Varianten auch eine Technik des europäischen Straßentheaters geworden. So z.b. im Hoffmann´s Comic Theater im ehemaligen Berlin-West, eine Agitationstheatergruppe, die sich Ende der 60er mit dem „Untergang der Bildzeitung" beschäftigte (vgl., ebd.). In dieser Zeit wurde das Zeitungstheater von verschiedenen Gruppen als Mittel der Gesellschaftskritik benutzt (vgl. Birbaumer, 1981, 270/271).

Wiegand bemerkt, daß Begriffe wie „Realität der Fakten" oder die „nackte Wahrheit" in den neunziger Jahren seltsam anmuten. Diese Begriffe würden die Existenz einer objektiven Sichtweise suggerieren. Es wird außerdem angezweifelt, ob das Zeitungstheater in West- und Mitteleuropa für die politische Öffentlichkeitsarbeit eingesetzt werden kann, um Einstellungen zu ändern (vgl. Wiegand, 1999, 92). Zwei Dinge gilt es beim Einsatz des Zeitungstheaters in der schulischen und außerschulischen Bildungsarbeit zu beachten. Boal stellt sich eine freiwillig zusammengestellte Spielgruppe vor, die mit ihrer Darstellung soziale Konflikte augenfällig zu pointieren versucht. Dieses gemeinsame Ziel kann bei einer zufällig zusammengesetzten Gruppe nicht vorausgesetzt werden (vgl. Schmidt in: Ruping, 1993, 94/95). Im Vordergrund steht das Interesse, Lehr- und Lernerfahrungen zu bereichern und neue Arbeitsformen zu benutzen, um den Unterricht phantasievoller und vielfältiger zu gestalten (vgl. ebd.). Schmidt ist in ihren Aussagen jedoch widersprüchlich. Bezweifelt sie auf der einen Seite die Möglichkeit den „Aufklärungs- und Agitationsgedanken des Volkstheaters von Boal" in den Industrieländern einfach weiterzuverfolgen, so sind ihre konkreten Spielvorschläge doch recht „politisch" im Sinne einer aufklärerischen

Praxis orientiert (Schmidt in: Ruping, 1993, 94-107). Sie möchte z.b. ein Diskussionsforum zur politischen Lage in China mit zwei Schlagzeilen eröffnen. Oder sie widmet sich der umstrittenen Volkszählung. Weitere Themen sind die politische Kultur in Deutschland am Beispiel des Umgangs mit der Ehrenbürgerschaft Hitlers oder soziale Gegensätze durch den Vergleich Wiener Opernball – Asylheim. Diese Themen wurden für die Gruppenarbeit mit den Techniken des Zeitungstheaters bearbeitet. Hier sind nun verschiedene Zielrichtungen eingeschlagen worden. Zum einen der Wunsch Unterricht vielfältiger zu gestalten, sicherlich auch eine Einbeziehung aller Sinne beim Lernen. Zum anderen eine bewußtseinsbildende Arbeit mit sozialkritischen Themen in einer Institution, deren Rahmen eine solche Arbeit nicht sprengen darf. Der bewußtseinsbildende Aspekt nimmt sich bescheidener aus als der gesellschaftsverändernde Impetus Boals. Hier geht es um die differenzierte Wahrnehmung von Informationen, um die reizvoll gestaltete Theatertechnik, um eine kontroverse Auseinandersetzung mit sozialkritischen Themen. Das Zeitungstheater kann so eine Lerntechnik im schulischen und außerschulischen Unterricht werden.

Ein weiterer pädagogischer Ansatz in der Anwendung des Zeitungstheaters ist die „lebendige Zeitung" nach Feldhendler als teilnehmeraktivierende Methode, die die szenische Umsetzung von Nachrichten und Informationen vor allem in Sprachkursen zum Ziel hat (vgl. Wiegand, 1999, 92). Diese Methode möchte ich in Kap. 6 als Ansatz in der Erwachsenenbildung näher erläutern.

4.4   Statuen- und Bildertheater

Beim Statuen- und Bildertheater wird eine Unterdrückungssituation zum Thema gemacht, die non-verbal, mit Hilfe statischer Körperbilder, dargestellt wird. Zu einem abstrakten Begriff oder einem konkreten Problem, sollen die Teilnehmer ihre Auffassung des Themas durch Bilder ausdrücken (vgl. Boal, 1989, 53). Balby beschreibt den Vorgang wie folgt:

„*Bei der Darstellung fungieren einzelne TeilnehmerInnen zunächst als Bildhauerinnen und modellieren aus den Körpern einiger MitspieleInnen einzelne Statuenkompositionen. Daraufhin stellt die Gruppe ein gemeinsames Standbild, das sogenannte Realbild, wodurch eine gemeinsame Vorstellung der bereits thematisierten Unterdrückung gewonnen werden soll. Ausgehend vom Realbild werden dann weitere Standbilder entwickelt: Mit Hilfe des sogenannten Idealbildes soll die von den TeilnehmerInnen nach Überwindung der Unterdrückung angestrebte Wunschsituation dargestellt werden. Durch das sogenannte Übergangsbild wird dann die Umwandlung vom Realbild zum Idealbild bzw. die Verwandlung der Unterdrückung in die Befreiung gezeigt. Nachdem die TeilnehmerInnen Real-, Ideal- und Übergangsbild gestellt haben, bilden die TeilnehmerInnen, die sich bis dahin als Statuen modellieren ließen, ihre eigene Version des Übergangsbildes: ausgehend von der jeweiligen Perspektive der von ihnen verkörperten Figuren, bewegen sie sich in Zeitlupe und zeigen stufenweise die Verwandlung vom Realbild zum Idealbild*" (Balby, 1997, 17/18).*

Boal benutzt das Statuen- und Bildertheater häufig als Vorbereitung für Forumtheaterszenen oder um - nach der Phase der Körperübungen - die Teilnehmer auf die beginnende Theaterarbeit einzustimmen (vgl. Wiegand, 1999, 129). Wiegand beschreibt den Einsatz von Standbildern in einem Intensiv-Deutschkurs für Aussiedler. Nach der Lektüre eines Märchens sollten die Teilnehmer Standbilder der Hauptfigur des Märchens formen. Der Leiter des Seminars stellt Fragen zur Struktur des Bildes, zum Ausdruck der Figuren und ihren Handlungsabsichten. Von Vorteil wäre es, wenn das Märchen in die heutige Zeit übertragen werden kann. Diese Form der bildlichen Annäherung an einen Text hat sich als geeignet für die Teilnehmer bezüglich ihrer Motivation erwiesen (vgl. Wiegand, 1999, 134). Dabei können auch sonst recht passive Teilnehmer aktiviert werden. Durch die Bilder werden Assoziationen ausgelöst, die die Kursteilnehmer spontan in ihrem ihnen zur Verfügung stehenden Sprachmaterial äußern. Die Deutungsmöglichkeiten der Standbilder würden zahlreiche Gesprächsanlässe bieten (vgl. Wiegand, 1999, 135). Hier wird deutlich, daß das Statuen- und Bildertheater als Methode benutzt wird, dessen Zweck ein gänzlich anderer ist als bei Boals Bildern und Statuen. Hier geht es nicht mehr um die Überwindung einer Unterdrückungssituation sondern um eine Teilnehmeraktivierung, um den Lernprozess vielfältiger zu gestalten. Wiegand begründet den Einsatz der von Boal eingeführten Techniken mit der Notwendigkeit, Lernen als ganzheitlichen Prozeß zu betrachten, innerhalb dessen die Theatralisierung von Texten eine methodische Bereicherung darstellt (vgl. Wiegand, 1999, 143). Doch verliert Wiegand auch nicht den emanzipatorischen Ansatz Boals, denn er argumentiert in diesem Sinne, daß das Statuen- und Bildertheater Boals Formen struktureller und/oder patriarchalischer Unterdrückung sichtbar mache (vgl. Wiegand, 1999, 144).

In diesem Spannungsverhältnis zwischen der Nutzbarmachung von Boals Techniken in der pädagogischen Praxis, also dem Zurückgreifen auf ein Methodenarsenal und dem Einsatz seiner Techniken zur Bewußtmachung, der Änderung sozialer Ungerechtigkeiten, der Aufdeckung unterdrückerischer Verhältnisse in Beziehungen (beruflich wie privat) scheinen Boals Einsatzmöglichkeiten in der BRD diskutiert zu werden[15].

Eggers/Fink/Thrun (Eggers/Fink/Thrun in: Ruping, 1993, 84) wenden in ihrem Kurs das Statuentheater im Sinne eines emanzipatorischen Ansatzes an. Einer der Spielversuche stellt in einem Realbild zunächst das Thema „Feierabend" dar: Zwei Herren sitzen plaudernd im Wohnzimmer und sehen fern. Die Frau steht abseits bereit, um für Getränke und Gebäck zu sorgen. Das Idealbild: Die Männer sitzen gemeinsam mit der Frau am Tisch und spielen ein Spiel. Dabei bedient jeder einmal den anderen und wird so auch vom anderen bedient. Die Übergangsbilder sind: 1. Die Frau wird zu einem Spiel eingeladen, 2. Der Fernseher wird abgeschaltet und 3. Einer der Männer serviert der Frau ein Getränk (vgl. Eggers/Fink/Thrun in:Ruping 1993, 85). Der sehr gut bebilderte Aufsatz der Autoren führt noch das Thema „Familie" auf, das auf gute Resonanz der Teilnehmer stieß.

---

[15] Auf die verschiedenen Ansätze in der pädagogischen Praxis möchte ich in Kapitel 6 und 7 näher eingehen. In diesem Kapitel möchte ich die Technik an sich und ansatzweise deren Einsatz in Fallbeispielen erläutern. Hierbei werden die Entwicklung des Theaters der Unterdrückten sowie deren Sinnverschiebungen im Vergleich zwischen Boals ursprünglichen Zielen und der heutigen Praxis in der BRD deutlich.

4.5 Forumtheater

Im Forumtheater wird eine Szene von 10 – 15 Minuten Dauer entwickelt. Diese Szene beinhaltet ein politisches oder soziales Problem, von dem einer aus der Spiel-Gruppe betroffen ist. Um die Diskussion anzuregen, endet die Szene meistens mit einer unbefriedigenden Lösung. Nach der Szene werden die Zuschauer gefragt, ob sie mit der angebotenen Lösung einverstanden sind, was in der Regel nicht der Fall ist (vgl. Boal, 1989, 56). Boal beschreibt wie folgt:

> *„Wer etwas einzuwenden hat, kommt auf die Bühne, ersetzt einen Schauspieler und spielt seinen Lösungsvorschlag durch. Der ersetzte Schauspieler verfolgt die Szene von draußen, bereit, jederzeit wieder in sie einzutreten. Die übrigen Schauspieler müssen auf die von den Zuschauern geschaffenen neuen Situationen eingehen. Der Zuschauer seinerseits muß versuchen, seinen Vorschlag durch Agieren durchzusetzen, nicht durch bloßes Diskutieren. Sich hinstellen und drauflosreden kann jeder"* (Boal, 1989, 56).

Wichtig ist Boal dabei, daß dem Zuschauer keine Ideen suggeriert werden, sondern daß er die Möglichkeit hat, eigene Ideen kritisch zu überprüfen und sie versuchsweise in der Theaterpraxis umzusetzen (vgl. Boal, 1989, 58). Forumtheater ist deswegen antiautoritär, weil es nicht für sich den „richtigen Weg" beansprucht. Es bietet eine Chance, „Mittel und Wege zu studieren" (ebd.), die in die Wirklichkeit umgesetzt werden könnten und stellt das Bühnenhandeln als ästhetisches Training für Veränderungen in der Alltagsrealität dar (vgl. Wiegand, 1999, 31). Für Piepel ist Forumtheater ein Mitspieltheater, welches sich dazu eignet, auf demokratische Weise ein politisches, soziales und persönliches Thema zu erarbeiten. Für ihn ist Forumtheater eine handlungsorientierte Lernform im Gruppenverband, die Handlungsmodelle für die Zukunft liefert (vgl. Piepel in: Ruping, 1993, 125). Im Vordergrund steht die Motivation der Zuschauer und Mitspieler. Alle Beteiligten müssen sich in der gespielten Szene „wiederfinden", auch wenn die Situation nicht am eigenen Leib erfahren wurde. Neben einer großen Motivation für die Szene und ihr Thema sind für Piepel die „deutliche Konflikt-Herausarbeitung" und die Veränderbarkeit der Situation wesentliche Bestandteile des Forumtheaters (vgl. Piepel in: Ruping, 1993, 126). Die Struktur der Forumtheaterszene beschreibt Piepel folgendermaßen:

> *„Es gibt eine Hauptrolle (Protagonist), um die herum sich die gespielte Szene entwickelt: Jemand wird unterdrückt. Dazu gibt es einen Gegenspieler (Antagonist = derjenige, der Unterdrückung ausübt). Schließlich sind da noch ein oder mehrere Vermittler (Triganonisten). Natürlich kann es auch mehrere Unterdrücker geben, und es sind meistens auch mehrere von der Unterdrückung betroffen. – Eine solch Aufteilung, wie ich sie hier vornehme, ist sehr vereinfacht. Aber sie schafft die nötige Klarheit über die Verhältnisse im dargestellten Konflikt. Die ist Voraussetzung für jegliche Beteiligung des Publikums. Dessen Aufmerksamkeit (Focus) wird auf die Hauptrolle gelenkt, denn das ist die Rolle, der geholfen werden, die im Spiel ausgewechselt werden soll. Es geht also auch darum, dem Zuschauer beim Zuschauen zu helfen. (...)"* *(Piepel in: Ruping, 1993, 126/127).*

Die Figur des Jokers vermittelt zwischen Bühne und Publikum, indem sie die Zuschauer auffordert, darüber nachzudenken, wie sie sich in der Rolle des Protagonisten verhalten würden. An der Stelle, an der der Zuschauer einen alternativen Handlungsvorschlag einbringen möchte, ruft der Joker „Stop!". Die Handlung auf der Bühne „friert" für einen kurzen Moment ein bis der nächste Protagonist auf der Bühne steht, um seinen Vorschlag durchzuspielen. Damit steht nach Frey jedem Zuschauer die Möglichkeit offen, in die Handlung einzugreifen und sie zu verändern. Der Zuschauer, der den unterdrückten Protagonisten ersetzt, wird von Boal als „spectactor" bezeichnet (Frey, 1989, 5/6). Und während es Boal zu Anfang um die Veränderung einer unterdrückerischen Situation in der Realität geht, mißt er etwas später dem Austausch der Spieler untereinander einen ebenso hohen wenn nicht höheren Stellenwert zu:

> *„Ich glaube, daß es wichtiger ist, eine gute Debatte zu erreichen, als eine gute Lösung. Denn von meinem Standpunkt aus zieht die Diskussion die Zu-*

SchauspielerInnen in das Spiel hinein und nicht die Lösung, die man findet oder auch nicht" (Boal zitiert nach Balby, 1997, 20).

In dieser Gewichtung der Lösung im Forumtheater ist Boal widersprüchlich, denn im Legislativen Theater sind ja gerade die Lösungsvorschläge, die aus den Forumtheaterszenen gesammelt und ausgewertet werden, Grundlage für die Formulierung neuer Gesetzesvorlagen (vgl. Kap 2.6.).

4.6 Unsichtbares Theater

Beim Unsichtbaren Theater wird eine Unterdrückungssituation an einem öffentlichen Ort (Straße, Supermarkt, Café, öffentliche Verkehrsmittel, Kaufhaus) simuliert. Daß es sich hierbei um eine gespielte Situation handelt, sollen die Adressaten nicht bemerken (vgl. Boal, 1989, 74; vgl. Lerchl, 1998, Materialband, 18). Dabei handelt es sich um ein aktuelles Thema, daß bei dem Zuschauer auf Interesse stößt. Zu diesem Thema wird ein Text erarbeitet, der für Improvisationen und Korrekturen offen ist (vgl. Boal, 1989, 74). Es kann mehrere Protagonisten in einer Szene geben und weitere Spieler, die durch ihre Parteinahme für den ein oder anderen Protagonisten, andere Passanten in eine Diskussion verwickeln, ohne dabei den fiktiven Charakter der Situation aufzudecken (vgl. Balby, 1997, 30). Während die Themen des Unsichtbaren Theaters in Lateinamerika Inflation, Wohlstand und Armut, wirtschaftliche Abhängigkeit vom Ausland sind, hat sich nach Thoraus Ansicht in Europa ein anderes „Themen-Repertoire" herauskristallisiert. Ein Hauptthema scheint die Einsamkeit und Isolation der Menschen zu sein (vgl. Thorau, 1982, 239). Weitere Themenkomplexe stellen Ausländerfeindlichkeit, Unterdrückung von Frauen, Kindern und Minderheiten dar (vgl. ebd.). Die Themen sollen Unterdrückung sichtbar werden lassen und sie dem Publikum bewußt machen sowie das Publikum zur aktiven Stellungnahme motivieren.

67

Simone Neuroth sieht im Unsichtbaren Theater die umstrittenste Methode Boals. Boal spiele mit „der Unwissenheit der zufällig Anwesenden" (Neuroth, 1994, 121). Das Vortäuschen einer realen Szene sei unehrenhaft und moralisch verwerflich. Neuroth verliert dabei den Kontext der Entstehung dieser Technik in Lateinamerika aus dem Auge. Wenn es unter einer Diktatur nicht mehr möglich ist Theaterstücke aufzuführen, müssen andere Wege wie zum Beispiel das Unsichtbare Theater beschritten werden, welche regierungskritische Themen darstellen können. Boal erschienen subversive Theateraktionen geeignet, um politisches Bewußtsein zu bilden (vgl. Wiegand, 1999, 116).

Um die Authentizität und Glaubwürdigkeit der Szene zu bewahren, ist es nötig, sie gründlich vorzubereiten. Die Rollen müssen gut einstudiert werden, die Situation muß flexibel beherrscht werden (vgl. ebd.). Denn wenn es zur Entlarvung der Spielszene durch mangelhafte Darstellung kommt, entsteht bei den Zuschauern – besonders wenn sie sich emotional engagiert haben – das Gefühl, betrogen worden zu sein (vgl. Neuroth, 1994, 122). Wallraffs teilnehmende Beobachtungen, die ebenfalls die Aufdeckung von Macht- und Unterdrückungsstrukturen zum Ziel haben, erinnern hierbei an die Arbeitsweise des Unsichtbaren Theaters, weil sie ebenfalls unerkannt bleiben. Wallraff schlüpft in die verschiedenen Rollen als Ali im Ruhrgebiet oder als Bildjournalist Hans Esser.

Grenzen des Unsichtbaren Theaters scheinen sich an Beispielen wie der Vortäuschung einer Vergewaltigungsszene in Rennes aufzuzeigen (vgl. Wiegand, 1999, 118). Es wird klar, daß solche vorgetäuschte Szenen ethische Fragen nach der Berechtigung solcher Aktionen aufwerfen. Thorau verhehlt nicht, immer wieder selbst eine gewisse Abwehr gegen das Unsichtbare Theater zu verspüren. Und stellt sich die Frage, ob es mit unseren eigenen gehemmten Aggressionen zu tun hat, sanft vorgehen zu wollen und nicht zu verletzen (vgl. Thorau in: Ruping, 1993, 271). Es ist wichtig im Unsichtbaren Theater nicht nur die Realität zu verdoppeln, sondern der dargestellten Szene ein Forum folgen zu lassen, die das Thema auf eine diskursive

Ebene hebt (vgl. ebd.). In der Kernszene dürfen keine Passanten verwickelt werden, was leider immer wieder vorkommt und nicht gegen die Methode sondern gegen diejenigen, die sie praktizieren spricht (vgl. ebd.). Keineswegs soll es darum gehen Passanten lediglich zu schocken oder deren Reaktionen aus einer voyeuristischen Haltung heraus zu beobachten. Für Büttner steht wie bei allen Formen des Theaters der Unterdrückten die Aktivierung des Zuschauers im Vordergrund (Büttner in: Ruping, 1993, 108). Dieser soll beim Miterleben einer Aufführung zum Handeln bewegt werden, zum Ändern einer Situation, in der er selbst oder andere unterdrückt werden und nicht in Gedanken darüber steckenbleiben (vgl. ebd.).

Die mühevollen Vorarbeiten des Unsichtbaren Theaters werden oft unterschätzt, denn es benötigt neben dem schon erwähnten detaillierten Rollenstudium und der Fähigkeit, glaubwürdig mit dieser vorbereiteten Szene zu improvisieren auch die ausgiebige Erkundung des Ortes, an dem die Aktion stattfinden soll. Ebenso wichtig ist es, an Sicherheitsvorkehrungen für die Schauspieler zu denken (vgl. Wiegand, 1999, 119). Abschließend möchte ich eine Szene des Unsichtbaren Theaters, die im Rahmen des Projekts „Rassismus Prävention" Theaterarbeit in der Gießener Nordstadt 1995 vorbereitet und gespielt wurde, exemplarisch erwähnen. Diese Aktion bestand aus der Diskriminierung einer Ausländerin durch zwei aggressive Männer in einem Bus (die Ausländerin - eine deutsche Studentin mit Kopftuch - und die Männer haben diese Szene vorbereitet). Die Ausländerin wurde daran gehindert im Mittelteil des Busses einzusteigen, mit dem Hinweis, daß es Fahrkarten vorne beim Schaffner gäbe (dies obwohl sie darauf aufmerksam macht, eine Monatskarte zu haben). Die Belästigung wurde im Bus weiterbetrieben. Die beiden Männer traten mit schweren Schuhen und Bomberjacken auf, Katja, die „Ausländerin", in schwarzer Kleidung und mit Kopftuch. Drei weitere Darsteller waren als „Aufwärmer" vorgesehen, die versuchen das Publikum ins Gespräch zu bringen. Diese Szene wird mehrmals in einem Bus wiederholt. Das heißt mit immer anderem Publikum in einem anderen Bus. Die oft nach außen teilnahmslose Hülle der Mitfahrer, die der Szene beiwohnen, hinterläßt bei den Darstellern tiefe Eindrücke. Doch gelingt es ihnen auch Reaktionen des Widerstands oder der Hilfe zu provozieren, mit anderen ins Gespräch zu kommen. Das Projekt wurde durch das Hessische Ministerium für Jugend, Familie und Gesundheit unterstützt und in Zusammenarbeit mit dem Theaterverein Feuerkeim – Forum Courage e.V. entwickelt (vgl. Dokumentation: Rassismus Prävention, 1995, 12 ff).

4.7   Zur weiteren Systematisierung von Boals Techniken

In seinem neuesten Buch „Der Regenbogen der Wünsche – Methoden aus Theater und Therapie" wird Boal in einem Interview auf die Entwicklung seines Theaters und dessen Techniken befragt. Für ihn ist die Basis seiner Techniken nach wie vor das Unsichtbare Theater, das Zeitungstheater und das Forumtheater sowie die später folgenden „Regenbogen der Wünsche" und das Legislative Theater (vgl. Boal, 1999, 158). Die Techniken des Statuen- und Bildertheaters fließen in diese Formen ein. In seinem Buch stellt Boal eine Reihe neuer „Sub-Methoden" vor, die er in den letzten 14 Jahren entwickelt und verfeinert hat. Seine Hinwendung zum Theater als Kunstform ist eine Neuerung in Boals Absichten. So verfolgt er den Plan, mit Hilfe seiner Techniken Bühnencharaktere zu entwickeln (vgl. ebd.). Diese können im „normalen" Theater oder innerhalb der Schauspielausbildung genutzt werden, denn mit ihrer Hilfe wird die Rollenarbeit vertieft. Innere Identifikation und äußere Darstellung einer Rolle lassen sich mit diesen Techniken erarbeiten (vgl. Boal, 1999, 163). In diesem Zusammenhang erwähnt Boal die Anwendung seiner Techniken in der Zusammenarbeit mit der Royal Shakespeare Company und dem Wunsch Hamlet zu inszenieren. Das soll nicht bedeuten, daß sein Theater der Unterdrückten nun sein ursprüngliches Anliegen verliert und sich die Techniken lediglich als ästhetische Vorgehensweisen verstehen. Seine Methoden wurden durch die verschiedensten Anpassungsprozesse hindurch vielfältig anwendbar, was die Überschneidungen mit Techniken des Psychodramas oder den Lehrstücken Brechts belegen. Seine neueste Methode des Legislativen Theaters läßt sich eindeutig dem politischen Theater zuordnen und zeigt erneut den gesellschaftsverändernden Ansatz in Boals Schaffen. Weintz beschreibt die Entwicklung des Theaters der Unterdrückten wie folgt:

> *„Augusto Boal entwickelte im Laufe der 70er Jahre (...) Volkstheaterformen, die Probleme von unterprivilegierten Bevölkerungsgruppen aufgreifen und soziale Veränderungen anregen wollten. (...) Dieses Konzept fiel ab Mitte/Ende der 70er Jahre auch in Europa auf fruchtbaren Boden, da sich Boals Theatermethoden trefflich in der pädagogischen und politischen Arbeit einsetzen ließen. Im Folgejahrzehnt – das im Zeichen einer allgemeinen politischen Desillusionierung stand – wurde Boals Theatermodell jedoch auch dann noch auf den Aspekt der politischen oder sozialen Animation reduziert, als dieser längst begonnen hatte, sich stärker für die inneren Konflikte des einzelnen Subjekts, für therapeutische Fragestellungen und auch für das Theater als künstlerisches Medium zu interessieren.*
> *Erst seit Beginn der 90-er Jahre wurde die Erweiterung seines Theateransatzes auch im deutschsprachigen Raum allmählich bekannt"(Weintz in: Boal, 1999, 7).*

Der „neue" Boal wie ihn Weintz beschreibt, erscheint wie ein postmodernes Konglomerat verschiedener Theateransätze:

> *„Der „neue" Boal synthetisiert in seinem recht anschaulichen Theatermodell Anregungen Bertolt Brechts, Jakob Levy Morenos und Paulo Freires mit Impulsen aus Philosophie, Anthropologie und Psychoanalyse sowie neueren Theateransätzen. Zwar bleibt die Überwindung von Repression und Anpassung Boals zentrales Thema. Allerdings geht es ihm nun – vor allem im Hinblick auf den europäischen Raum – um die Überwindung von innerer Unterdrückung, genauer um die Befreiung des Ichs von internalisierten Zwängen und um die Erweiterung des Blickfeldes in der Dialektik von Selbst- und Fremdwahrnehmung" (Weintz in: Boal, 1999, 8).*

In „Der Regenbogen der Wünsche" teilt Boal seine Techniken in drei große Gruppen ein: Die prospektiven Techniken, die introspektiven Techniken und die extrovertierten Techniken, die ich im folgenden exemplarisch vorstellen möchte.

4.7.1 Die prospektiven Techniken

Diese erste Gruppe bilden die „untersuchenden" Techniken. Im Vordergrund stehen die Beziehungen innerhalb der Gruppe und die gemeinsame szenische Diskussion über allgemeine Themen wie Glück, Macht, Ohnmacht und Unterdrückung (vgl. Neuroth, 1994, 83).

Eine Übung dieser Techniken ist „Das Bild der Stunde", die auf spielerische Weise die persönliche Auseinandersetzung des Umgangs mit dem Alltag anregt und dem Kennenlernen der Gruppenmitglieder dient. Ebenfalls dient diese Übung dem Austausch der Gruppe über ein bestimmtes Thema. Boal sieht den Nutzen auch in einer raschen Mobilisierung der Gruppe (auch in ästhetischer Hinsicht) (Boal, 1999, 97).

Zu Beginn gehen dabei alle Gruppenmitglieder durch den Raum. Von Zeit zu Zeit ruft der Spielleiter „Stop!" und nennt dabei eine bestimmte Uhrzeit. Sie kann einmal präzise sein (sieben Uhr morgens), ein anderes Mal wiederum ungenau (mitten in der Nacht). Es kann auch nur ein Wochentag angegeben werden oder ein besonderes Datum (Weihnachten). Die Spieler sollen sich darauf einstellen und nehmen bei dem Impuls „Bild!" das Bild dessen an, was sie zu jener Zeit oder an jenem Tag normalerweise tun. Sagt der Spielleiter „Handlung!", beginnen die Teilnehmer den Dialog mit den (imaginären) Figuren, mit denen sie an jenem Zeitpunkt in Beziehung stehen. Dabei bleibt jeder Schauspieler ohne Kontakt zu den anderen Schauspielern und ist in seine persönliche Welt versunken (vgl. Boal, 1999, 98). Beim Befehl „Stopp!" hören alle auf und bereiten sich auf die nächste Phase vor. Die zweite Phase ist die Diskussion über das innere Geschehen sowie Ähnlichkeiten. Wo fühlte man sich besonders gut, wo ließ die Energie nach, welches waren die aufregendsten Momente? Wann fühlte man sich unter Zwang, wann glücklich und wie hat man die anderen wahrgenommen?

Beim „Kaleidoskop-Bild", eine weitere Übung der „untersuchenden" Techniken, soll die Gruppe die Doppeldeutigkeiten, Eindrücke und Wirkungen einer Szene oder eines Ereignisses untersuchen, um „hinter der Scheinrealität eines Geschehens die tiefere Wahrheit aufzuspüren" (Neuroth, 1994, 83). Dabei sollen die Szenen von allgemeinem Interesse sein, gesellschaftliche Relevanz haben und keine Einzelfälle beschreiben. In der ersten Phase schreibt und inszeniert der Protagonist seine Geschichte, in der er sich selbst spielt. Andere Schauspieler gruppiert er hinzu, die unter seiner Regie seine Anweisungen befolgen. Dabei soll die Szene auf einen Dialog zwischen Protagonist und Antagonist hinauslaufen. In der zweiten Phase schaffen die Teilnehmer Bilder des Körperausdrucks zu Erinnerungen, Emotionen oder Ideen, die durch die Szene und die Figuren in ihnen ausgelöst wurden. Dabei sollen sich die Bilder auf den Protagonisten und auf den Antagonisten beziehen. Jeder, der während der Szene ein bestimmtes Bild von einer der dargestellten Personen hatte, tritt nun hinter diese Person und formt dort mit dem eigenen Körper eine Statue. Gegen Ende stehen sich auf Seite des Protagonisten und auf Seite des Antagonisten eine Anzahl von Skulpturen gegenüber. Im folgenden Schritt bilden sich Protagonisten-Antagonisten-Paare. Daraufhin improvisieren die einzelnen Paare ihre „Originalszene" vor der gesamten Gruppe. In der Schlußrunde werden die Erfahrungen ausgetauscht und die Frage gestellt, was „hinter der Kulisse" zu sehen war (vgl. Boal, 1999, 87 ff; vgl. Neuroth, 1994, 84).

4.7.2 Die introspektiven Techniken

Sie beinhalten jene Übungen, die als „Polizist im Kopf" und „Regenbogen der Wünsche"-Techniken bekannt sind. Im Vordergrund soll der Protagonist mit seinem persönlichen Problem stehen (vgl. Neuroth, 1994, 84). Mit Hilfe der Gruppe soll er in die Lage versetzt werden, sich selbst zu beobachten, sich seiner Bedürfnisse und Wünsche aber auch seiner inneren Zwänge und Ängste bewußt zu werden. Der Protagonist soll befähigt werden, sich von inneren Zwängen zu lösen und Ängste und Hemmungen abzubauen.

Die Technik des „Polizisten im Kopf" wurde aus dem Statuen- und Bildertheater entwickelt und besteht aus folgenden Schritten: Der Protagonist erzählt von einer

Unterdrückungssituation und improvisiert diese mit anderen Spielern in einer szenischen Darstellung. Dann baut er Statuen, die seine verinnerlichte Unterdrückung zum Ausdruck bringen sollen, und zwar nicht in Form einer abstrakten oder symbolischen Darstellung, sondern durch die figürliche Darstellung real existierender Personen, die der Protagonist kennt (Vater, der ermahnend die Hand erhebt; Vorgesetzter, der mit finsterer Miene an einem vorbeischaut; Tochter, die sich ängstlich hinter dem Protagonisten versteckt) (vgl. Lerchl, 1998, Materialband, 12). Der Protagonist nähert sich den Statuen und hält Monologe, die seine Beziehung zu den jeweiligen „Polizisten" verdeutlichen sollen (vgl. Balby, 1997, 37). Nach Ansicht Freys ist es jedoch nicht nur Absicht, das individuelle Problem zu analysieren, sondern einen Blick auf den gesellschaftlichen Hintergrund, von dem das Handeln des Individuums beeinflußt wird, zu werfen (Frey, 1989, 14).

Boals Übung „Regenbogen der Wünsche" repräsentiert eine an den Wünschen der jeweiligen Teilnehmer orientierte szenische Reflexionsform (vgl. Ruping in: Ruping, 1993, 75). Ausgangspunkt der Spielfolge, die sich hinter diesem Titel verbirgt, ist ein Konflikt, den der Protagonist nicht seinen Wünschen entsprechend lösen konnte. Verlauf und Ergebnis dieses Konflikts werden mit Hilfe eines oder mehrerer Mitspieler in Szene gesetzt. Es ist wichtig herauszubekommen, welche Wünsche der Protagonist während der Szene hatte und in einer anschließenden Spielaufgabe diese körperlich auszudrücken (vgl. Ruping in: Ruping, 1993, 75). Hier ein Beispiel aus der Theaterpraxis:

„Die Protagonistin ist verantwortlicher Organisator eines kleinen Theaterabends. Kurz vor Beginn der Vorführung betritt ein offenbar angetrunkener, kräftiger Mann die Bühne und weigert sich, sie wieder zu verlassen. Alle Versuche der Protagonistin, den Mann zum Weggehen zu bewegen, scheitern: Er setzt sich am Ende aufgrund größerer Körperkraft und fehlender Solidarität aus dem Zuschauerraum durch. Die Protagonistin muß die Polizei rufen, die Vorstellung beginnt eine Dreiviertelstunde später. Zur Erfüllung der Spielaufgabe nimmt der Antagonist erneut auf der künstlichen Bühne Platz, in der ihm eigenen, offensiv-breitbeinigen Haltung. Die Protagonistin nimmt nun ver-

schiedene Gegen-Haltungen ein, die sie in der Szene gern parat gehabt hätte: gelassen-verständnisvoll (...)/ konsequenter fordernd (...)/ amüsiert über das „Theater" (...)/ deutlich ihre Verzweiflung signalisierend (...)/ den direkten Konflikt durch Weggehen beendend (...)/ die Zuschauer direkt um Hilfe bittend. Jedesmal wenn ein spect-actor die vorgestellte Haltung zu verstehen glaubt, nimmt er sie anstelle der Protagonistin ein, so daß am Ende sämtliche Wünsche als Körperausdruck auf der Bühne präsent sind. Nacheinander spielt nun jeder diese personifizierten Wünsche, als „gefilterter Charakter" und seiner Haltung entsprechend, die Situation an, wobei der Antagonist, seinem Rollenverständnis entsprechend, reagiert" (Ruping in: Ruping, 1993, 76).

Dieser Spielversuch birgt Spielanreize, die auch zur breiteren Entfaltung einer Spieler-Figur brauchbar sind.

4.7.3 Die extrovertierten Techniken

Zur dritten Gruppe, den nach außen gerichteten Techniken, zählt Boal die Aufführungstechniken Unsichtbares Theater, Forumtheater und Improvisationsübungen. Beispiele für die Improvisationsübungen sind die „Stop und denke!"-Technik oder die „Verfremdung des Stils"-Technik.

Bei der „Stop und denke!"-Technik gibt der Spieleiter das Zeichen zum „Freezing" der Szene und alle Teilnehmer monologisieren darüber, was sie in diesem Moment als Charakter, in dieser Rolle empfinden und denken (vgl. Lerchl, 1998, 15). Für Boal erlaubt diese Methode auf ästhetisch-theatralische Weise den Augenblick anzuhalten (vgl. Boal, 1999, 146). Boal beschreibt hierzu ein Beispiel aus seiner Praxis. 1989 improvisierte eine junge Frau in Rio de Janeiro eine Szene, in der sie zum Mieter der Wohnung über ihr ging, um sich über eine undichte Stelle zu beschweren, aus der Wasser an ihren Wänden herunterrann. Ihr Ziel war es in einem Gespräch mit diesem Nachbarn, ihn dazu zu bewegen, das Wasserrohr reparieren zu lassen. Doch wurde sie von diesem Mann freundlich abgewimmelt. Ähnlich erging es ihr ein paar Wochen früher mit ihrem Mann, der die Schallplatten nicht abgeben wollte. Boal benutzt die „Stopp und denk nach!"- Methode, um die Gedanken der jungen Frau vor einer solchen Szene zu erfahren. Sätze wie: „Ich weiß, daß er nichts dagegen unternehmen wird" oder „Ich weiß, daß es keinen Zweck hat, mit ihm zu reden" belegten die passive Haltung der Frau (vgl. Boal, 1999, 150). An diesem Beispiel wird deutlich, daß auch die neueren Methoden sich nach wie vor auf eine Unterdrückungssituation beziehen. In diesem konkreten Fallbeispiel wird die Nähe zu therapeutischen Theatermethoden deutlich.

Bei der „Verfremdung des Stils"-Technik können die Zuschauer durch Zuruf bestimmen, in welchem Stil die Teilnehmer die jeweilige Szene darstellen sollen. Es können ganz bizarre Stilrichtungen oder Schauplätze gewählt werden, wie z.B. der Stil der Wagner-Oper, eines Films von Herbert Achternbusch oder des Musicals „Westsidestory" (vgl. Lerchl, Materialband, 1998, 16). Diese Übung kann die Phantasie anregen und sie aus dem scheinbar engen Kontext einer Szene herausführen. In einem anderen Stil kommen Dinge ans Licht, die in der Originalszene unsichtbar geblieben wären (vgl. Boal, 1999, 150). Bei der Betrachtung der einzeln aufgeführten Methoden und der von Boal und anderen aufgeführten Praxisbeispiele wird deutlich, wie wichtig es ist, daß der Spielleiter nicht nur über eine große Kenntnis der verschiedensten Methoden verfügt, sondern sie auch mit einer bestimmten Zielrichtung sinnvoll miteinander variieren kann. Diese Fähigkeit kann sich aber nur langsam über die eigene kontinuierliche Praxis als Teilnehmer und vor allem Spielleiter entwickeln.

5 Das Theater der Unterdrückten in der Erwachsenenbildung

Nach der geschichtlichen, theoretischen und methodischen Beschreibung des Boalschen Theaterkonzeptes, dient dieses Kapitel dazu, Theaterarbeit in der Erwachsenenbildung vorzustellen. Zum einen soll eine Theaterarbeit mit Erwachsenen, die
sich sowohl mit individuell als auch gesellschaftlich konflikthaften Situationen beschäftigt, als eine mögliche Reaktion auf veränderte Bedürfnisse von Teilnehmern
der Bildungsangebote in der Erwachsenenbildung im Zuge gesellschaftlichen Wandels betrachtet werden. Hierbei wird auch der Tendenz hin zu einer „lebensweltori-
entierten Bildungsarbeit" (Siebert, 1988, 154) sowie einer zunehmenden Teilnehmerorientierung (vgl. Kade, 1992, 18) Rechnung getragen.

Zwar hat sich die Interpretation des Bildungsbegriffes im Laufe der Jahre hin zu einer möglichst allseitigen Sachkenntnis entwickelt, jedoch taucht gegenüber der Forderung nach Qualifizierung auch die Rückbesinnung auf den aufklärerischen, allgemeinen Bildungsbegriff wieder auf (vgl. Neuroth, 1994, 14). Bildung ist dementsprechend Selbstbildung, Selbstbestimmung und Entfaltung der Persönlichkeitsstruktur zu Mündigkeit und Emanzipation (vgl. Menze in: Lenzen/Mollenhauer,
1983, 350 ff).

Die Methodik des Theaters der Unterdrückten kommt dem Bedürfnis entgegen, in-
nerhalb eines immer komplexer werdenden gesellschaftlichen Gefüges, eine eigene
Identität auszubilden. Denn die Ausbildung der Identität wird durch zunehmende
Komplexität und daraus resultierenden Krisen erschwert. Identitätsbildung als Mög-
lichkeit, mit sich selbst übereinzustimmen, eigene Bedürfnisse und gesellschaftliche
Erwartungen in Einklang zu bringen, ist somit ein pädagogisches Vorhaben, das sich
mit dem Theater der Unterdrückten verbinden läßt (vgl. Neuroth, 1994, 27 ff). Die
Bestimmung der Erwachsenenbildung als Identitäts- und Realitätsarbeit bildet eine
Voraussetzung für Theaterkonzepte wie es das Theater der Unterdrückten darstellt.

Wie schon in vorhergehenden Kapiteln erwähnt, verliert zwar die ursprünglich gesellschaftsverändernde Absicht des lateinamerikanischen Theaters der Unterdrückten

im europäischen Kontext ihre Aggressivität und bewegt sich hin zu einer gemäßigteren Ausbalancierung von Individualität und gesellschaftlichen Erwartungen. Jedoch bleibt dem Theater der Unterdrückten eigen, daß es sich nicht auf ein individuell-psychologisches Moment reduzieren lassen möchte. Auch das gesellschaftskritisch-politische Moment ist eine wichtige Konstituente des Theaters der Unterdrückten (vgl. Neuroth, ebd.). Diese grenzt, wie im Vergleich mit dem Psychodrama in Kap. 3.2. beschrieben, das Theater der Unterdrückten von rein therapeutischen Theatermethoden ab. Boal gesteht seinem Theater zwar eine therapeutische Wirkung zu, jedoch ist sein Theater keine Therapie im Sinne der Heilung eines kranken Individuums, sondern eher eine Auseinandersetzung des „autoritätsgeschädigten" Indiviuums mit seiner Umwelt und seinem Alltag (vgl. Boal, 1989; Boal, 1999).

Boal selbst spricht zwar nicht ausdrücklich von Erwachsenenbildung, geht jedoch implizit von einer Lernfähigkeit Erwachsener aus, indem er darstellt, daß das „Probehandeln" in der Theaterarbeit mit Erwachsenen in die Realität übertragbar ist (vgl. Boal, 1989). Das heißt durch das theatralische Umsetzen alternativer Handlungsmodelle sollen zukünftige Konfliktsituationen besser bewältigt werden. Und er setzt in der Körperarbeit am „deformierten" Erwachsenenkörper an, der sich durch die jeweilige Berufstätigkeit über seine „Muskelstrukturen" (Boal, 1989) bewußt werden soll.

Seine politisch motivierte Theaterarbeit richtete sich zunächst an Arbeiter, Bauern und Studenten und steht in der Tradition Bertolt Brechts, der in seinen Lehrstücken ebenfalls die Zuschauer zu Agierenden machte. Ein Vergleich der Theaterkonzeption Brechts mit der von Boal wurde bereits in Kap.3 vorgenommen. Boals Theater der Unterdrückten stellt in diesem Kontext ein exemplarisches Beispiel politisch-kultureller Theaterarbeit in der Erwachsenenbildung dar.

Gerd Koch vergleicht das Theaterspiel mit der Vorgehensweise sozialwissenschaftlicher Forschungsmethoden und stellt das Theater-Spiel als ein Beispiel szenischer Sozialforschung vor.

78

Mit einem problemformulierenden, dialogischen Ansatz setzte Paulo Freire im Bereich der Erwachsenenbildung neue Impulse für eine weniger leistungsorientierte, kreativere Bildungspraxis (vgl. Neuroth, 1994, 48). Boal und Freire, die beide den Repressionen der Gewaltherrschaft in Brasilien ausgesetzt waren, engagierten sich in der damaligen Politisierungsarbeit der Volkskulturbewegung in Lateinamerika. Schon die Analogie der Titel „Theater der Unterdrückten" und „Pädagogik der Unterdrückten" bestätigt die Gemeinsamkeiten zwischen dem pädagogischen Konzept Paulo Freires und dem Theaterkonzept Augusto Boals. Der Bezug Boals auf die Pädagogik Freires, der an der konventionellen Erwachsenenbildung kritisiert, daß sie im Vermitteln von theoretischem Wissen stehen bleibe (Freire, 1998, 64) und schwer ein gemeinsames Lernen zwischen Lehrenden und Lernenden als gleichberechtigte Subjekte ermögliche (vgl. Herzog, 1997, 13) soll den Abschluß dieses Kapitels bilden. Freires dialogisches Prinzip soll in der Anwendung durch Boal erläutert werden.

5.1 Gesellschaftlicher Wandel und Erwachsenenbildung

Die Veränderungen gesellschaftlicher Rahmenbedingungen beeinflussen die Bildung des Menschen, die Interpretation des Begriffs Bildung sowie die Kritik an der Bildungspraxis selbst (vgl. Neuroth, 1994, 14). Im Folgenden sollen die gesellschaftlichen Veränderungen insbesondere auf deren Auswirkungen auf die Lage des Individuums und seine Möglichkeiten zur Selbstbestimmung und Entfaltung beschrieben werden.

Unter der „Individualisierung der Lebensformen" versteht der Soziologe Ulrich Beck ein Ensemble gesellschaftlicher Entwicklungen und Erfahrungen, die sich auf die Auflösung vorgegebener sozialer Lebensformen beziehen (vgl. Beck/ Beck-Gernsheim in: Dies. (Hrsg.), 1994, 11/12). Dabei wird das Subjekt auf sich selbst gestellt und kann seine Chancen zur Freiheit nutzen (vgl. Koch, 1995, 10). Dem Risiko, dabei zu versagen, sich einer „riskanten Freiheit" auszusetzen, wird mit Begrif-

79

fen wie „Wahlbiographie", „reflexive Biographie" oder gar „Bastelbiographie" be-
gegnet (ebd.). So muß nach Beck der einzelne in der individualisierten Gesellschaft
lernen, „sich selbst als Planungsbüro in Bezug auf seinen Lebenslauf, seine Fähigkeiten, Partnerschaften usw. zu begreifen" (Beck, 1994) und: Individualisierung in
der Risikogesellschaft „meint Enttraditionalisierung, aber auch das Gegenteil: die
Erfindung von Traditionen" (ebd.). Mit der Auflösung vorgegebener sozialer Lebensformen geht das „Brüchigwerden" von Kategorien wie Klasse und Stand, Ge-
schlechtsrolle, Familie, Nachbarschaft usw. einher (vgl. Beck/ Beck-Gernsheim in:
Dies. (Hrsg.), 1994, 11/12). Auch die deutsch-deutsche Vereinigung sorgte dafür,
daß „staatlich verordnete Normalbiographien" der ehemaligen DDR sich in einer
neuen Umorientierung auflösten (vgl. ebd.). Somit scheint der moderne Mensch von
einer Vielzahl ihn einengender Strukturen und Verhältnisse befreit. Seine familiäre
Herkunft bestimmt nicht mehr wie im früheren Maße seinen weiteren Lebensweg,
denn Schule, Ausbildung und Beruf könnten frei gewählt werden (vgl. Neuroth,
1994, 15). So sei die Familie nicht mehr die einzige gesellschaftlich akzeptierte Form
des Zusammenlebens, was die breite Akzeptanz nichtehelicher Lebensgemeinschaf-
ten, Wohngemeinschaften und kinderloser Paarbeziehungen belege (vgl. ebd.). Auch
seien die Rollenzuschreibungen der Geschlechter nicht mehr so rigide, so daß für
Frauen und Männer eine „erhebliche Ausweitung der Betätigungsmöglichkeiten in
Beruf und Freizeit" (ebd.) ermöglicht wird. Ein weiteres Element gesellschaftlichen
Wandels stellt die Arbeitszeitverkürzung dar, die die Bedeutung der Freizeit aufwertet. So deutet der hier angesprochene Charakter des gesellschaftlichen Wandels
mehr persönliche Freiheit und den Zuwachs der Möglichkeiten zur Selbstentfaltung
an (vgl. ebd.).

Auf der anderen Seite bringen die gesellschaftlichen Veränderungen neue Abhän-
gigkeiten mit sich. Über den Arbeitsmarkt, den Wohlfahrtsstaat und die Bürokratie
wird der einzelne in ein neues Netz von „Regelungen, Maßgaben, Anspruchsvoraus-
setzungen" (Beck/Beck-Gernsheim in: Dies. (Hrsg.), 1994, 11/12) eingebunden.

Beck begreift Rentenrecht, Versicherungsschutz, Erziehungsgeld, Steuertarife als „institutionelle Vorgaben mit dem besonderen Aufforderungscharakter, ein eigenes Leben zu führen" (ebd.). Das Individuum befindet sich innerhalb einer „engmaschigen Institutionengesellschaft", deren „Regelungsdichte (...) bekannt bis berüchtigt" ist (ebd.). Wer versucht langfristig auf etwas zu bauen, hat noch nicht realisiert, daß sich alles „gegen (...) lebenslange Entwürfe, dauerhafte Bindungen, ewige Bündnisse, unwandelbare Identitäten zu verschwören" scheint (Beck/Beck-Gernsheim in: Dies. (Hrsg.), 1994, 13). Die freie Wahl der Arbeit wird mit steigender Arbeitslosigkeit und dem Risiko des Arbeitsplatzverlustes ebenso relativiert, wie die kreative Entfaltung am Arbeitsplatz mit zunehmender Technologisierung zugunsten zeit- und produktionseffektiver Arbeitsgestaltung (vgl. Neuroth, 1994, 15).

Gleichzeitig werfen die gesellschaftlichen Veränderungen ständig neue Fragen auf. Bei immer weniger klaren Vorgaben und Zuständigkeiten in den Familien ist unklar, wie die Kinder aufwachsen und ob sich nicht sogar Zusammenhänge zu der wachsenden Gewaltbereitschaft unter Jugendlichen durch diese Entwicklung erklären lassen (vgl. Beck/Beck-Gernsheim in: Dies. (Hrsg.), 1994, 32 f.). Und weiter fragt Beck, „welche Architektur, welche Raumplanung, welche Bildungsplanung erfordert eine Gesellschaft unter Individualisierungszwängen?" (ebd.).

Neuroth spricht von einer „warenästhetischen Zwangssozialisation", die der einzelne in der heutigen Konsumgesellschaft zu durchlaufen hätte. Das Überangebot, das permanente sich Ausrichten nach neuen Trends und Moden, der ständige Zwang zwischen Optionen wählen zu müssen, deute auf eine Zunahme von Abhängigkeit und Fremdbestimmung hin (vgl. Neuroth, 1994, 16). Für Neuroth ergibt sich folgende Situation für das Individuum:

> *„Der Mensch wird also zum einen durch sein Leben in Strukturen und Abhängigkeiten, zum anderen durch die ihm eigenen Freiräume und Möglichkeiten gefordert und in Frage gestellt. Die Krisen, die er zu durchlaufen hat, verschärfen sich mit zunehmender Komplexität der Gesellschaft und erschweren die Ausbildung seiner Identität.*

Das Bedürfnis, innerhalb des komplexen gesellschaftlichen Gefüges eine eigene Identität auszubilden, ist also auch als konkrete Forderung an eine wie auch immer geartete Bildung zu verstehen" (Neuroth, 1994, 17).

Mit zunehmender Komplexität der Gesellschaft sei eine Einbuße „des Stellenwertes von Bildung als Entfaltung und Selbstbildung zugunsten einer Spezial- oder Sachbildung" festzustellen. Bildung mit dem Ziel der Emanzipation und Mündigkeit würde aus dem Bildungsbereich verdrängt (vgl. Neuroth, 1994, 17). Die Erwachsenenbildung der 80-er Jahre wird charakterisiert durch Begriffe wie „Qualifizierungsoffensive". Dabei wurde das Angebot traditioneller Bildungseinrichtungen wie z.b. der Volkshochschulen um zahlreiche Kurse im Bereich Fremdsprache und Computertechnik erweitert, um den Erwachsenen „arbeitsmarktgerecht" zu qualifizieren und den technischen Fortschritt einzuholen (vgl. Neuroth, 1994, 22). Jedoch konstatiert Neuroth ebenfalls eine allgemeine Suche nach Sinnhaftigkeit, die sich zunächst vor allem außerhalb der traditionellen Bildungseinrichtungen vollzog. Sie zeige sich im „Psycho-Boom", in der Nachfrage nach Selbsterfahrung und Therapie, Esoterik und neuer Religionsauslegung genauso wie in den Neuen Sozialen Bewegungen, in Bürgerinitiativen, Friedensgruppen, Frauengruppen und Umweltorganisationen Die traditionellen Bildungseinrichtungen veränderten ihr Angebot dementsprechend, indem sie Yoga, Atemkurse, meditative Selbsterfahrung, Thai-Chi und vieles mehr in ihr Bildungsangebot aufnahmen (vgl. Neuroth, 1994, 23). Der Wunsch nach Selbst- und Mitbestimmung, politischer Teilhabe und autonomer Organisation sowie das Bedürfnis nach Sinnhaftigkeit und Sinnlichkeit, Zugehörigkeit und Orientierung sei ein Ausdruck einer allgemeinen Identitätssuche, doch wird bezweifelt, ob die Angebotserweiterung die Teilnehmer bei ihrer Identitätssuche tatsächlich unterstütze und nicht eher eine Fluchtmöglichkeit aus dem widersprüchlichen Alltag biete, die zum Ausbau einer realitätsfernen Gegenwelt führen kann (vgl. Meueler in: Schlutz/Siebert, 1987, 333 ff). Meueler spricht in diesem Zusammenhang von einer institutionalisierten Ausflucht, die letzten Endes Herrschaftsverhältnisse stabilisiere.

So wird diese Art von Veranstaltungen in der Erwachsenenbildung leicht zum kompensatorischen Reparaturbetrieb für die durch Entfremdung und Widersprüchlichkeit entstandenen Schäden. Mit „sozialtherapeutischen Veranstaltungen zur Pazifizierung und Integration von Problemgruppen" (Siebert, 1988, 149) wird die Gefahr gesehen, politische Bewegungen in gewünschte Bahnen zu lenken. Eine sinnvolle bildungspolitische Konsequenz dieser Entwicklung mache ein Umdenken im gesamten Bereich der politischen Bildung erforderlich (vgl. Neuroth, 1994, 23). So sei eine Aufhebung der Trennung von psychosozialen und politischen Aspekten von Bildung nötig. Bildungsangebote, die Politik und Therapie verknüpfen, gibt es aber wenig. Siebert kritisiert eine Erwachsenenbildung, in der „technokratische Qualifizierungsoffensive, (...) reine Sozialtherapie oder eine kompensatorische Freizeitbeschäftigung" isoliert voneinander angeboten werden (Siebert, 1988, 154). Der von Siebert geforderte Lebensweltbezug äußert sich in Angeboten wie Geschichts- und Schreibwerkstätten, Stadtteil- und Gemeinwesenarbeit. Neuroth sieht darin einen Ausdruck von Lebenserfahrung. Und weiter: „(...), kulturelle Produktion bedeutet alternatives Handeln. Die Artikulationsmöglichkeiten des Individuums werden erweitert, Widerstandsformen gegen die Beherrschung durch den Alltag (auch der Emotionen und des Körpers) durch die gesellschaftlichen Strukturen werden praktisch erprobt" (Neuroth, 1994, 25). Für Neuroth zeigt sich eine zeitgemäße Erwachsenenbildung, in der Unterstützung des Individuums bei der Suche nach Identität. Es sollen persönliche Bedürfnisse berücksichtigt werden, ohne die gesellschaftliche Realität auszublenden. Durch eine mögliche Stärkung von Widerstand gegenüber repressiven gesellschaftlichen Strukturen erweitert Neuroth den Aspekt von Bildung, der dem Individuum behilflich ist eine Identität auszubilden um eine kritisch-emanzipatorische Note. Inwiefern Theaterarbeit eine Form aktiver Identitätsarbeit ist, soll im nächsten Unterkapitel erläutert werden. Abschließend sei noch Kochs Bezug auf Becks Aussage, daß Individualisierung in der Risikogesellschaft auch „Erfindung von Traditionen" bedeute, (Beck, 1994) erwähnt. Für Koch, der für eine Theatralisierung von

Lehr- und Lernprozessen plädiert, hat der Begriff Erfinden vieles gemein mit den Vorgehensweisen in Literatur, Theater und Kunst. So werde etwas „erfunden, gestört und zerstört, dargestellt und vorgestellt" (Koch, 1995, 10):

> *„Die Kunst des Theater-Machens und die Theaterpädagogik: Sie ermöglichen Erfahrungen sensibler, eigensinniger, kontroverser und auch brüchiger wie störrischer Art, sie ermöglichen auch ein „Scheitern" im Simulationsfeld des Theater-Spiels (übrigens gar nicht so simuliert; sondern sehr real, aber ohne die hohen Kosten des Scheiterns in anderen Wirklichkeiten!); sie ist zugleich eine „Zukunftswerkstatt" (Robert Jungk) für das Erleben, Erfahren und Testen neuer, besserer Möglichkeiten im Sozialen wie/und/oder Ästhetischen" (Koch, 1995, 10).*

5.2 Identitätsarbeit

Bereits Anfang der 70er Jahre wurde die Diskussion um den Begriff „Teilnehmerorientierung" geführt. Diese Diskussion gewann in den 80-er Jahren eine zentrale Bedeutung im Zusammenhang mit praktischen Strategien der Erwachsenenbildung und ihrer Begründung in der Theorie (vgl. Kade, 1992, 18). Die Hinwendung zum Teilnehmer war verbunden mit einer Orientierung an deren Biographie, Lebenswelt, Alltag und Erfahrungen. Der Teilnehmer wurde nun als Individuum, als „lebensweltlich eingebundenes Subjekt, im Hinblick auf seine Subjektivität, seine Identität" thematisiert (ebd.). Der Identitätsbegriff gewinnt hierbei innerhalb der Erwachsenenbildung – im Zusammenhang mit zunehmendem Interesse an empirischer Forschung und theoretischer Analyse gesellschaftlicher Problemlagen – an Bedeutung (vgl. Kade, 1992, 19). Die unterschiedliche Verwendung des Identitätsbegriffes, läßt sich nach Kade durch zwei zentrale „Analyseebenen" beschreiben (vgl. ebd.). Zum einen soll Identitätsarbeit in der Erwachsenenbildung einer Bildung entgegenwirken, die einseitig auf Qualifizierung aus ist und durch Identitätsarbeit kann ein „kritischer Standpunkt gegenüber einer Psychologisierung der Erwachsenenbildung" eingenommen werden (ebd.). Hier ist von Identitätsfindung als Aufgabe und Ziel der Erwachsenenbildung die Rede. Zum anderen wird seit Beginn der 80er Jahre der Identitätsbegriff zur Erschließung der lebensweltlichen Situation der Teilnehmer herangezogen. Auch um Identitätssuche als „Teilnahmemotiv" und als „lebensweltlich, biographisch und gesellschaftlich bedingte Identitätsprobleme und -krisen" aufzufassen (vgl. Kade, 1992, 20).

Die Erwachsenenpädagogik bedient sich bei der Erörterung des Identitätsthemas psychologischer (Erikson, Selbstkonzept), soziologischer (Mead, Goffman, Habermas) sowie gesellschaftstheoretischer (Habermas, Beck) Theorien. Im Rahmen der Rezeption des Symbolischen Interaktionismus wird Identität als Balance von personaler und sozialer Identität verstanden (vgl. ebd.). Bei der Auseinandersetzung mit der modernen Lebenswelt wird untersucht, inwiefern das Individuum in Bezug auf unterschiedliche Rollenanforderungen und „systemischen Imperativen" eine soziale Identität herstellen kann (vgl. ebd.). Die Erwachsenenpädagogik stellt somit einen „Zusammenhang zwischen der Erwachsenenbildung und den Schwierigkeiten individueller Identitätsfindung unter den gesellschaftlichen Bedingungen der Moderne" her (Kade, 1992, 21).

Wenn gesellschaftliche Veränderungen einerseits zu der Ausweitung der gesellschaftlichen Rollenerwartungen an das Individuum führen und auf der anderen Seite das Bedürfnis nach Entfaltung der Persönlichkeitsstruktur steigt, so scheint die Ausbildung einer stabilen Ich-Identität unerläßlich (vgl. Neuroth, 1994, 18). Unter einer stabilen Ich-Identität sollte man sich aber nicht ein starres Identitätskonzept vorstellen, sondern etwas recht Flexibles, denn wenn in der Moderne das Problem darin bestand, sich eine Identität zu schaffen und sie zu festigen, so „liegt das Identitätsproblem der Postmoderne darin, Festlegungen zu vermeiden und sich Optionen offen zu halten" (Bauman, 1995, 11). Mit Stabilität ist daher mehr die Erhaltung psychischer und physischer Gesundheit unter ständig wechselnden Rahmenbedingungen gemeint. An diesem Punkt beginnt die Identitätsdebatte brüchig zu werden, denn es ist nicht im Sinne Neuroths, Ich-Identität durch Theaterarbeit herauszuarbeiten, zu fördern, zu entwickeln, um sie den Anforderungen einer postmodernen Gesellschaft anzupassen. Es ist auch zu fragen, inwieweit eine solche Flexibilisierung des Individuums nicht eine Überforderung darstellt (vgl. Dauber/Verne 1976; Geißler 1990). Vielmehr scheint ihre (Neuroths) Auffassung des Identitätsbegriffs auf Möglichkeiten des Widerstands gegen er- und unterdrückerische Situationen - die auch im Kontext postmoderner Veränderungen gesehen werden können - hinzuführen (vgl. Neuroth, 1994). Doch aus welchem Blickwinkel heraus man die Notwendigkeit von Identitätsarbeit auch betrachtet, notwendig für beide Ansätze bleibt die Ausbildung von Ich-Identität.

Goffmans Persönlichkeitskonzept kombiniert drei Aspekte von Identität: soziale Identität, personale Identität und Ich-Identität (vgl. Goffman, 1963; 1966). Unter sozialer Identität versteht Goffman die Antizipation der persönlichen und strukturellen Attribute durch andere (Goffman, 1963, 2). In der sozialen Identität des Indididuums spiegeln sich die Rollenerwartungen der anderen. Wobei es auch zu Inkongruenzen kommen kann, wenn Diskrepanzen zwischen zugeschriebener Rolle durch die anderen und die Einschätzung des Individuums über die Erwartungen der anderen verursacht werden. Die personale Identität bezieht sich auf die Einzigartigkeit des Individuums wie z.B. die Kombination biographischer Details (vgl. ebd.). Sowohl soziale als auch personale Identität werden durch die anderen definiert (vgl. Goffman, 1963, 2; 105 f; Krappmann 1969, 75 f). In der Ich-Identität des Individuums kommt das subjektive Bewußtsein des Individuums zum Ausdruck. Dabei konstruiert das Individuum das Image von sich selbst aus demselben Material, aus dem die anderen soziale und personale Identität konstruierten (vgl. Goffman, 1963, 106). Die Fähigkeit des Individuums zur balancierten Präsentation seiner Identität ist eine strukturelle Voraussetzung des Interaktionsprozesses. Die Balance zwischen und innerhalb sozialer und personaler Identität ist die Leistung der Ich-Identität (Krappmann, 1969, 79) und die Fähigkeit, zwischen Anpassung und Einzigartigkeit zu balancieren, d.h. soziale   als   auch   personale

Identität auszudrücken, wird als balancierte Identität bzw. als Autonomie bezeichnet. Krappmann beschreibt verschiedene, aufeinander aufbauende Fähigkeiten zur Ausbildung und Bewahrung von Ich- Identität und Autonomie. So versteht Krappmann unter Rollendistanz die Fähigkeit, sich reflektierend und interpretierend gegenüber fremden Rollenerwartungen verhalten zu können. Dadurch erlangt das Individuum eine Distanz, mit der es Normen aufgrund seiner Biographie und seiner Verwicklung in andere Rollensysteme hinterfragen kann (vgl. Krappmann, 1969, 142). Um sich in den anderen einzufühlen, den anderen durch kognitive und affektive Leistungen einzuschätzen, bedarf es der Empathie (vgl. Krappmann, 1975, 148). Unter Ambiguitätstoleranz versteht man die Fähigkeit, Widersprüche zwischen gesellschaftlichen Erwartungen und persönlichen Bedürfnissen, zwischen den verschiedenen Rollenanforderungen und den Möglichkeiten, diese zu verwirklichen, wahrzunehmen und zu ertragen. Krappmann umschreibt dies auch mit der Fähigkeit „konfligierende Identifikationen zu synthetisieren" (Krappmann, 1975, 167). Für die Ausbildung einer „stabilen" Ich-Identität benötigt das Individuum Eigenschaften wie Sensibilität und Einfühlsamkeit, eine differenzierte Wahrnehmung, Kreativität bei der Lösung von Konflikten, Ausdrucksvermögen zur Selbstpräsentation und Flexibilität im Umgang mit den eigenen Rollen (vgl. Neuroth, 1994, 19). Zum Rollenbegriff äußert sich Neuroth gegenüber der Dahrendorfschen Definition als „ärgerliche Tatsache der Gesellschaft" kritisch und schließt sich hier dem dialektischen Konzept von Habermas an (vgl. ebd). Neuroth zieht einen Vergleich zwischen Rollenhandeln und Theaterspielen. Der Schauspieler habe die Aufgabe, seine Rolle bestmöglichst auszufüllen. Allerdings könne der Darsteller seine Rolle gestalten, indem er sie interpretiert, deutet oder sich gar weigert sie auszufüllen (vgl. ebd.). Daraus ergibt sich eine gewisse Autonomie des Schauspielers gegenüber seiner Rolle. Wenn Theaterspielen als soziale Interaktion betrachtet werden kann, so kann man den Schluß daraus ziehen, daß das Theater für soziologisches Experimentieren brauchbar ist. Daraus ergibt sich eine besondere Eignung des Theaterspiels für die Erprobung von Möglichkeiten menschlichen Zusammenlebens, insbesondere von Konflikten, Mängeln, Versäumnissen, Grenzüberschreitungen u.a.. Dabei können die bereits erwähnten Fahigkeiten, die für die Ausbildung einer Ich-Identität nötig sind - Rollendistanz, Ambiguitätstoleranz, Identitätsdarstellung und Empathie - gefördert bzw. verbessert werden (vgl. Neuroth, 1994, 26). Das Theaterspielen stellt in dieser Hinsicht eine Form aktiver Identitätsarbeit dar. Für Neuroth besticht Boals Theaterkonzept vor allem durch dessen Integration von politischer Bildung und psychosozialer Praxis. Sie betont den Aspekt des Widerstandes gegenüber allen Formen der Unterdrückung und Abhängigkeit, angesiedelt im alltäglich Zwischenmenschlichen bis hin zum gesellschaftlich-politischen Bereich. Im Freiraum „Probehandeln auf der Bühne" liegen Möglichkeiten für ein kritisches Theater, das gesellschaftliche Normen und den Alltag in Frage stellen kann (vgl. Neuroth, 1994, 28). „Theaterspielen wäre demnach modellhaftes Handeln im geschützten, fiktiven Raum" (Neuroth, 1994, 31). Die Interaktionspädagogik, für die Spiel und Theater eine Form menschlicher Interaktion darstellen, sieht im Theaterspiel ein Übungsfeld für die Einübung sozialer Kompetenzen sowie die Ausbildung der Fähigkeiten Empathie, Rollendistanz und Ambiguitätstoleranz. Zu den geläufigsten Konzepten der Theaterpädagogik zählen Rollenspiel, Interaktionsspiel, Maskenspiel, Theater der Unterdrückten, Lehrstück und Psychodrama (vgl. Neuroth, 1994, 32). Für eine handlungs- und lebensweltbezogene Erwachsenenbildung ist vor allem der Prozeß der Theaterarbeit der eigentliche Lernprozeß und nicht die gelungene Inszenierung eines Theaterstücks (vgl. ebd.). Das Theaterspiel bietet im Besonderen was ein zeitgemäßer Ansatz der Erwachsenenbildung im Allgemeinen fordert: „Erfahrungsorientiertes Lernen, Lebensweltbezug, das Verlasssen der rein kognitiven Ebene, Mitberücksichtigung der politischen Dimension des individuellen Handelns sowie der psychosozialen Komponente" (Neuroth, 1994, 33). Boal begreift seine Methoden als Medium, Unterdrückung bewußt zu machen und mögliche alternative Handlungsmuster zu erproben, um diese Unterdrückung abzubauen, wobei seine Definition von Unterdrückung sowohl auf den psychosozialen Bereich (verinnerlichte Unterdrückung) als auch auf äußere Formen von Unterdrückung (politischer Bereich) zielt. In Bezug auf den zuvor erwähnten sozialen Wandel fokussiert das Theater der Unterdrückten Situationen, in denen das Individuum durch soziale oder gesellschaftliche Bedingungen in einer es einengenden, beschränkenden und repressiven Form gefordert ist, sich selbst zu behaupten. Theaterarbeit im Sinne Boals kann deshalb auch nicht eine funktionalistische Anpassungstechnik des Individuums an die verschiedensten Rollenerwartungen bedeuten, sondern eine aktive Auseinandersetzung mit den verschiedensten Rollenanforderungen und die Erarbeitung einer individuellen Stellungnahme und Handlungsalternative.

5.3 Theater-Spiel als szenische Sozialforschung

Die in die Krise geratene politische Erwachsenenbildung zeigt in ihren inhaltlichen Neuansätzen Gemeinsamkeiten. So erhält die kulturelle Dimension von politischer Bildung allgemein eine starke Aufwertung. Dies macht sich in dem Interesse für das Alltägliche, die Alltagskultur, für den „individuellen und kollektiven Habitus", der das Substrat für gesellschaftliche Strukturen und ihrer Funktionsweisen liefert, bemerkbar (vgl. Holzapfel in: Kaiser (Hrsg.), 1990, 143). Es wird die Notwendigkeit in der politischen Bildung gesehen, individuelles Denken, Fühlen, Handeln und gesellschaftliche Strukturen miteinander zu verschränken (vgl. ebd.). Für Neuroth bedeutet politische Bildung die Beschäftigung mit dem Inneren, mit den Zwängen, denen die Menschen ausgesetzt sind (vgl. Neuroth, 1994, 24). Nuissl bestätigt einen gestiegenen Bedarf an politischer Bildung und definiert sie näher als Bildung, die sich mit Problemen in Gesellschaft und Politik befaßt (vgl. Nuissl, 1987, 25/26).

Für Koch ist das Theater-Spiel eine Möglichkeit "szenische Sozialforschung" zu betreiben. Ähnlich der Vorgehensweisen von Forschungsmethoden wie Interview, Gruppenexperiment, teilnehmende Beobachtung etc. erleuchte das Theater-Spiel als Methode den sozialen Kontext, in dem die Spieler sich befinden (vgl. Koch, 1997,

89

84). Damit können sich ästhetische Vorgehensweise und politische Bildung überlagern. In der Theaterarbeit mit Amateuren stellen diese häufig eigene Stücke her und beziehen sich auf ihre Lebenswelt. Dabei werden die Stückeschreiber zu Dokumentaristen und Schriftstellern. Koch nimmt Bezug auf Charles Wright Mills, der in der Soziologie das Zusammenwirken von Geschichte und persönlichem Schicksal thematisiert. Ihre erzieherische Aufgabe bestehe darin, „die Schwierigkeiten der Alltagsmilieus als Resultat historisch strukturierter Prozesse" zu enthüllen (Koch in: Belgrad (Hg.), 1997, 87). Diese Überlegungen können die Theaterarbeit von Amateuren genauso leiten wie Recherchen von Sozialforschern (vgl. ebd.). Werden ältere, fremde Spielvorlagen verwendet, so ist der Inszenierungsprozeß zugleich ein „sozialhistorischer" Aneignungsprozeß, der mit einer subjektiven Bedeutung verbunden wird (vgl. Koch in: Belgrad (Hg.), 1997, 90). Man lernt an einem künstlerischen Gegenstand, wie einem Drama, Lustspiel aus lang zurückliegender Zeit, historisch zu denken und soziologisch/ethnologisch differenziert zu sehen (vgl. Koch in: Belgrad (Hg.), 1997, 91).

Die sozialpädagogischen und sozialpsychologischen Forschungsweisen kennen die Arbeit mit szenischen Impulsen, mit Fallsituationen biographischer oder gruppendynamischer Art. Auch die Sozialwissenschaften kennen das Einspeisen von Szenen als Impuls für Erkenntnis und Handeln, z.B. bei der Feldforschung oder in Gruppendiskussionsverfahren (vgl. ebd.). Eine theaterpädagogische Anregung im Vergleich zu diesen Verfahren stellen die Lehrstücke Brechts dar, die learning plays, „die sozial bedeutsame Erkenntnisse unter Einbeziehung der je subjektiven Sozialisation der mit den Brechtschen Spielvorlagen Umgehenden ermöglichen sollen" (Koch in: Belgrad (Hg.), 1997, 91). Der Brechtsche Text stelle so etwas wie eine Intervention dar ähnlich der Handlungsforschung, action research und der Interventionsforschung. Die Simulation sozialer Konflikte, Verhaltensforschung und Forschung im sozialen Feld können als sozialwissenschaftliche Stichworte den Lehrstück-Ansatz von Brecht verständlicher machen (vgl. Koch in: Belgrad (Hg.), 1997, 92). Windeler/Ruping beschreiben die Lehrstückpraxis Brechts ebenfalls als „soziologisches Experimentieren" - so hat es Brecht formuliert - und sehen darin Formen „proletarischer Erkenntnispraxis" sowie „emanzipativer Didaktik" (Windeler/Ruping in: Koch/Steinweg/Vaßen (Hrsg.) 1983, 234). Diese Didaktik verlagere den Schwerpunkt auf die Kompetenz und Selbsttätigkeit des Lernenden und deren Erfahrungen. Den Vergleich mit dem „soziologischen Experiment" beschreiben Windeler/Ruping wie folgt:

> *„Wenn nun im „Soziologischen Experiment" die kontrollierte Aktualisierung von gesellschaftlicher Erfahrung gefordert wird, dann ist darin die „wissenschaftliche" Tendenz aufgezeigt als Möglichkeit des Fortschreitens aus dem zunächst Beliebigen „unmittelbarer Erfahrung" in das, was – als „mittelbare Erfahrung" – die Erkenntnis des gesellschaftlichen Ganzen meint. Diesem Fortschreiten dienen die methodischen Mittel des Lehrstücks – die, kategorisiert im Musterbegriff, - bei Brecht entsprechend seiner Professionalität zunächst literarische sind. So bemüht er sich beispielsweise im als literarische Spielvorlage gedachten Lehrstücktext um „gestische Sprache", d.h. um typische Redeweisen, die zur Körperlichkeit, zum Ausführen deutlicher Gesten und zur Einnahme kritisierbarer Haltungen anleiten"* (Windeler/Ruping in: Koch/Steinweg/Vaßen (Hrsg.) 1984, 234).

Koch bezieht sich auf Mills und zitiert ihn auszugsweise, um dessen Arbeitsprozeß beim Forschen als sinnvolle Anregung auch für die Theaterarbeit darstellen zu können. Die Vorgehensweise Mills scheint ihm geeignet, um Anregungen für die Erstellung von Spielvorlagen zu geben. So erstelle Mills eine Liste spezifischer Analysen wie „Untersuchung des Verlaufs eines typischen Arbeitstages, mit einer Befragung beginnen, dann Beobachtungen am Arbeitsplatz, Sondierung der subjektiven Einstellungsweise, die dem beobachteten Verhalten zugrunde lag, Analyse des Wochenendes, Gepflogenheiten genau beobachten und anschließend am Montag mit den betreffenden Personen und Ihren Familien besprechen, Informationen aus Büchern, Angaben des Finanzministeriums, Lektüre historischer Bücher, ohne System Notizen machen und Gelesenes interpretieren, sogar die Massenmedien, insbesondere schlechte Filme, billige Romane, Zeitschriften und Nachtprogramme, geben ... zahlreiche Anregungen" (Mills zitiert nach Koch in: Belgrad (Hg.) TheaterSpiel, 1997, 88). Im Zusammenhang mit der künstlerischen Auseinandersetzung mit den Massenmedien ist auch Boals Zeitungstheater und Fotoroman-Theater zu beachten, daß über die theatralischen Umgehensweisen mit diesen Medien zu neuen Erkenntnissen über gesellschaftliche Zusammenhänge kommt. Durch die Techniken des Zeitungstheaters wird die angeblich objektive Berichterstattung der Zeitung in Frage gestellt. Es kann geschehen, daß durch ein neues Arrangement von Textpassagen, der ursprüngliche Sinn umgekehrt oder enttarnt wird.

Um eigene, soziale Gegenstände und Themen beinhaltende Spiel-Vorlagen zu entwickeln, könne man sich als Amateur den Vorschlägen Mills anschließen. Hiermit würde eine Sozialforschung im Medium ästhetischer Praxis ermöglicht und gleichzeitig Sichtweisen der künstlerischen und alltäglichen Wissensproduktion angewandt (vgl. Koch in: Belgrad (Hg.) TheaterSpiel, 1997, 90). Offene Formen des Theaters, wie z.B. das Theater der Unterdrückten, die zwischen „cultural studies" und Kunst angesiedelt werden, ermöglichen nicht nur eine Darstellung von Forschungsergebnissen, sondern auch den Prozeß der Erkenntnisgewinnung selbst. Theater und Soziologie sollten nicht miteinander verwechselt werden, dennoch hat die soziologische Denkweise mit dem „suchenden, neugierigen und perspektiven-wechselnden Blick der ästhetischen Produktionsweise" Ähnlichkeiten (vgl. Koch in: Belgrad (Hg.) TheaterSpiel, 1997, 93). Der hier vorgestellte Bezug des Theater-Spiels zur Sozialforschung bietet Möglichkeiten, das Theater-Spiel in den Rahmen einer nicht rein ästhetisch ausgerichteten Bildung zu stellen, sondern das Theater-Spiel im Feld politisch-kultureller Bildung zu betrachten. Der Aufsatz Kochs, auf den hier Bezug genommen wurde, könnte allerdings etwas weniger assoziativ geschrieben sein, so daß der Theaterpädagoge einen etwas besseren Zugang zu seiner Denkweise bekommt und etwas mehr „Gehhilfe" für die theaterpädagogische Praxis erhält. Kochs praktikable Vorschläge für die Theaterarbeit finden sich z. B. in seiner Dissertation „Lernen mit Bert Brecht – Bertolt Brechts politisch-kulturelle Pädagogik".

5.4 Von Freires Pädagogik der Unterdrückten zum Theater der Unterdrückten

Lebenslanges Lernen ist ein in der Erwachsenenbildung viel diskutierter Begriff. Die bildungspolitischen Debatten über grundlegende Strukturveränderungen im Bildungswesen wurden seit den 60er Jahren in ganz Europa geführt und in diesem Kontext vollzog sich die Einführung dieses Begriffes (vgl. Kade/Seitter, 1996, 15). Dabei wurde eine Etablierung der Erwachsenenbildung im allgemeinen Bildungswesen angestrebt, die von der Normalität des Lernens im Erwachsenenalter ausgeht und eine gewisse Entlastung für den schulischen und universitären Bildungsbereich bedeutete (vgl. ebd.). Das Konzept des lebenslangen Lernens steht in einem Spannungsverhältnis unterschiedlicher Wertungen. Zum einen wird lebenslanges Lernen aus einer distanziert-ablehnenden Perspektive betrachtet, die im lebenslangen Lernen eine „auf Dauer gestellte Entmündigung und (...) eine lebenslängliche Anpassungszumutung an wirtschaftlich-gesellschaftliche Veränderungsprozesse" sieht (Kade/Seitter, 1996, 16). Dabei wird das lebenslange Lernen weniger als Möglichkeit persönlicher Steigerungsmöglichkeiten und Selbstentfaltung betrachtet, sondern als nicht steuerbare Anpassungszwänge als Folge von „ökonomischen Imperativen", als „lebenslängliche Qualifizierung" thematisiert (vgl. ebd.).
Andererseits wird das demokratisch-emanzipative Potential des lebenslangen Lernens hervorgehoben. Kade / Seitter sammeln folgende Aspekte zusammen:

„... die Möglichkeit von Lernprozessen für Bildungsbenachteiligte und lernungewohnte Bevölkerungsschichten, das Wiederanknüpfen an verschüttete bzw. nicht fortgeführte Lernerfahrungen, die Chancen eines Neubeginns an verschiedenen Stellen des formalen Bildungswesens, die Überwindung personaler

und gesellschaftlicher Lernhindernisse durch die Bereitstellung flexibler und teilnehmerorientierter Lernangebote" (Kade/Seitter, 1996, 15).

Die hier formulierten Ziele entsprechen der klassischen Bildungsidee, die die Entfaltungs-, Entwicklungs- und Vervollkommnungsmöglichkeiten des Menschen in Richtung mehr Freiheit, Glück, Vernunft und Gerechtigkeit anstreben. Insofern wird der klassische Bildungsgedanke auf das Konzept des lebenslangen Lernens übertragen (vgl. Kade/Seitter, 1996, 16). In ihrem Playdoyer für Bildungsangebote der Erwachsenenbildung, die durch Lebensweltbezug und Ganzheitlichkeit charakterisiert werden können, bindet sie ihre Vorstellungen von Bildung wie Selbstbildung, Selbstbestimmung und Entfaltung der Persönlichkeitsstruktur zu Mündigkeit und Verantwortlichkeit, die sich auch in der Praxis des Theaters der Unterdrückten verwirklichen lassen, an einen aufklärerischen, allgemeinen Bildungsgedanken. Neben den hier aufgeführten zwei Perspektiven dürfte es sicherlich noch weitere, vielleicht synthetisiertere Konzepte lebenslangen Lernens geben.

Paulo Freire, der von Neuroth als der „bedeutendste Volkspädagoge der Gegenwart" bezeichnet wird, ließe sich mit seinem politisch- pädagogischen Bildungskonzept den zuvor zitierten Formulierungen von Kade/Seitter zuordnen, natürlich erweitert um einen kritisch-emanzipativen und gesellschaftsverändernden Impetus. Seine Theorie einer Pädagogik der Unterdrückten, die in den 70er Jahren begeistert aufgenommen wurde, setzt mit seinem „problemformulierenden, dialogischen Ansatz im Bereich der Erwachsenenbildung Impulse für eine weniger leistungsorientierte, kreativere Bildungspraxis" (Neuroth, 1994, 48). Freire selbst sah in der Bildung einen lebenslangen Prozeß, der alle Bereiche des Lebens miteinbezieht und der die Menschen dazu befähigen soll, aktiv und verändernd in den Prozeß der gesellschaftlichen Entwicklung einzugreifen, d.h. sich selbst als Subjekt zu sehen (vgl. Wener, 1991, 97).

Freire wurde durch seine Alphabetisierungskampagnen in den Slums und Landarbeitersiedlungen Brasiliens bekannt. Boal und Freire waren in der politischen Arbeit der brasilianischen Volkskulturbewegung (siehe Kap. 2.2.) engagiert und litten beide unter jahrelangen Repressionen der Gewaltherrschaft in Brasilien. Freire entdeckte, daß die Masse des ländlichen Proletariats und der Slumbewohner sich als nahezu bildungsunfähig erwiesen, selbst gutgemeinte Alphabetisierungskampagnen für Erwachsene erreichten wenig Erfolge. So schien eine Lernhemmung unbestreitbar zu bestehen. Es fehlten der Wille zur Selbstbestimmung. Freire beschrieb die Situation als eine „Apathie der Unterdrückten", deren Folge die „Kultur des Schweigens" sei (Freire, 1998, 10). Ein Grundsatz seiner pädagogischen Theorie lautet wie folgt:

> *„Erziehung kann niemals neutral sein. Entweder ist sie ein Instrument zur Befreiung des Menschen, oder sie ist ein Instrument seiner Domestizierung, seiner Abrichtung für die Unterdrückung" (Freire, 1998, 13).*

Ob sie das eine oder andere sei, entscheide sich durch die Wahl des pädagogischen Verfahrens. In der „depositären" Erziehung sieht Freire eine Art Fütterungsvorgang, bei dem der Schüler widerstandsfrei Wissen, Wörter, Urteile und Vorurteile des Erziehers aufnimmt (vgl. Freire, 1998, 13/14). Für ihn ist eine solche Bildung identisch mit einem Zwang zur Unterwerfung, denn wenn der Schüler sich der Aneignung von fremden Wissen, fremder Sprache und fremden Wertvorstellungen entzieht, bleibt er ungebildet, wohingegen der „bereitwillig verschlingende Schüler", der Gebildete, der Entfremdete sei (vgl. Freire, 1998, 14). Das Ziel der depositären Erziehung sei die Anpassung der Lernenden an bestehende gesellschaftliche Herrschaftsverhältnisse (vgl. ebd.). Freires Alternative zur depositären Erziehung ist sein Modell „educaca problematizadora", dessen Ziel die Bewußtmachung der eigenen Lebenssituation als Problem und die Lösung dieses Problems in Reflexion und Aktion ist (vgl. ebd.). Dementsprechend sei Lehren nicht Programmieren, sondern Problematisieren, vor allem auch das Aufwerfen von Fragen und die Provokation des Zöglings zur Selbstbestimmung (vgl. ebd.). Zudem sei eine Erziehung als Programmierung in einer Gesellschaft von raschem Wandel „dysfunktional" und „kontra-produktiv" (vgl. ebd.).

Paulo Freire betont, daß wirkliche Bildung die Beziehung zwischen Lehrenden und Lernenden verändern müsse, so daß beide gleichzeitig das eine als auch das andere sind und beide voneinander lernen (vgl. Herzog, 1997, 13). In seiner problemformulierenden Bildungsarbeit soll Lernen durch eigene Erkenntnisse und durch eigene Handlungen geschehen und nicht im bloßen Vermitteln theoretischen Wissens (vgl. Freire, 1998, 64/65). Für Freire existiert wirkliche Bildung vor allem durch gegenseitigen Austausch. Die dialogische Vorgehensweise würde den Lernenden in die Lage versetzen, die Realität kritisch zu sehen und ihn befähigen, seine gesellschaftliche Rolle zu verstehen und als Teil dieser Realität zu handeln (vgl. Herzog, 1997, 13).

Die gemeinsamen Prinzipien, die aus dem Bildungskontext Freires von Boal auf den Theaterkontext übertragen wurden, werden im folgenden dargestellt. Zunächst war auch Boals Zielgruppe die Gruppe der Slumbewohner, Landarbeiter, Analphabeten und Armen. Wie bei Freire so ist auch bei Boal der erste Schritt des Bildungs- bzw. Theaterprozesses die Bewußtmachung der eigenen Situation (vgl. Neuroth, 1994, 48). Gleich ob es sich dabei um Alphabetisierung oder die Erstellung einer Theaterszene handelt, es wird zunächst von der konkreten Situation des Protagonisten ausgegangen, seine Körperlichkeit, seine Befindlichkeit als auch Lebensumstände reflektiert (vgl. Neuroth, 1994, 48/49). Der Prozess der Bewußtmachung wird von Neuroth auf zwei Ebenen beschrieben: Zum einen auf der Subjekt-Ebene, „auf der sich der Protagonist als einmaliges und unverwechselbares Subjekt, das mit vielfältigen Fähigkeiten und Möglichkeiten ausgestattet ist, erkennen kann", zum anderen auf der Objekt-Ebene, „auf der er die Zwänge seiner Lebensumstände, eigene Unterdrükkung aufgrund bestehender sozialer, politischer und wirtschaftlicher Widersprüche begreifen lernt" (Neuroth, 1994, 49). In der Bewußtmachung sehen Boal und Freire die Vorstufe zur Aktion. Boal nennt diesen Prozess zur Aktivierung des Zuschauers „dynamisation", denn für Boal ist es nicht nur nötig, die Realität zu interpretieren, sondern sie auch zu verändern (vgl. Boal, 1989, 68). Ähnlich der „Theorie der verändernden Aktion" Paulo Freires, die davon ausgeht, daß der Mensch, der unfähig ist die Realität zu verändern, sich anpasst. Wohingegen die Integration in den eigenen Kontext Aktivität darstellt. Unter der Fähigkeit, sich zu integrieren versteht Freire auch die Möglichkeit, sich der Realität anzupassen, aber nicht im Sinne einer passiven Unterordnung, sondern um diese Realität zu „transformieren" (vgl. Freire, 1977, 10). In dem Maß, wie der Mensch seine Fähigkeit zur Auswahl verliert und der Entscheidung anderer unterworfen ist, so daß seine Entscheidungen nicht mehr seine eigenen sind, da sie durch äußere Vorschriften bestimmt werden, ist er nicht mehr integriert, sondern vielmehr angepaßt oder angeglichen (vgl. ebd.). Die eigene Bestimmung des Menschen läge aber in der Verbesserung bzw. Veränderung der Welt (vgl. ebd.).

Um die Welt aber verbessern zu können muß nach Meinung von Boal und Freire der Mensch die Rolle als Zuschauer ablegen, und zum „Neuschöpfer" der Welt werden. Die Bildungsarbeit Freires sowie die Theaterarbeit Boals setzt an einer gemeinsamen Kritik einer Erziehungspraxis an, die von Freire auch als „Bankiersmethode" bezeichnet wird (vgl. Freire, 1998, 57). Diese Bezeichnung beinhaltet die schon zuvor erwähnten Prinzipien der depositären Erziehung.

Boal greift den Ansatz Freires, den Lehrer-Schüler-Widerspruch aufzulösen auf und überträgt sie auf den Kontext seiner Theaterarbeit, denn Kursleiter und Teilnehmer führen gemeinsam die thematische Untersuchung der Lebenssituation der Betroffenen durch, um daraus die „Schlüsselthemen" zu entwickeln (vgl. Neuroth, 1994, 51). Wobei die Themen zumeist durch das Statuentheater gewonnen und im Forumtheater oder Unsichtbaren Theater aufgearbeitet werden (vgl. ebd.). Selbst die europäischen Techniken des Theaters der Unterdrückten (z.B. Polizist-im-Kopf-Technik), die die internalisierte Unterdrückung thematisieren, beziehen sich auf Freires Vorgang der Bewußtmachung, die mit einschließt, daß der Unterdrückte sich selbst unterdrückt (vgl. Neuroth, 1994, 51; vgl. Freire, 1998, 36). Es wird versucht mit Hilfe dieser Technik zu ergründen, was bei dem Unterdrückten verantwortlich ist für die „Kultur des Schweigens", für die Passivität, für Handlungsunfähigkeit und das gegen sich selbst gerichtete Handeln (vgl. Neuroth, 1994, 51). Angesichts der ökonomischen und sozialen Verhältnisse in Brasilien, ist die Forderung einer Erziehung der Volksmassen hin zu mehr Emanzipation und Veränderung der Verhältnisse von existentieller Bedeutung. Übertragen auf den europäischen Kontext darf sich das Theater der Unterdrückten nicht auf die Problematik von unterprivilegierten oder diskriminierten Randgruppen abdrängen lassen, sondern sollte sich weiter mit „generativen Themen" beschäftigen. Dies bedeutet eben auch eine verstärkte Beschäftigung mit internalisierter Unterdrückung oder Unterdrückung in Beziehungen ob privater oder beruflicher Natur. So würde das Thema „Mobbing" zum Beispiel zum einen die psychosoziale Problematik am Arbeitsplatz durchleuchten, aber auch das allgemeine Thema Arbeitswelt und -klima in der BRD als gesellschaftlich-politisch relevant betrachten. Im folgenden Kapitel möchte ich verschiedene Ansätze des Theaters der Unterdrückten in der Erwachsenenbildung vorstellen.

98

6   Ansätze des Theaters der Unterdrückten in der erwachsenenpädagogischen Praxis

Die hier vorgestellten Ansätze innerhalb der Erwachsenenbildung nehmen nicht für sich in Anspruch einen vollständigen Überblick über das Theater der Unterdrückten in der Erwachsenenbildung in der BRD zu bieten (Wiegand versucht dies in seiner Dissertation, indem er sich auf Rezeption und Diffusion dieser Theatermethode seit Beginn der 80er Jahre konzentriert), jedoch nimmt jeder der hier vorgestellten Ansätze für sich in Anspruch, die Methoden des Theaters der Unterdrückten bewußt und zielgerichtet einzusetzen. Sicherlich sind vielen Theaterpädagogen die Techniken Augusto Boals geläufig und werden in der Praxis auch eingesetzt. Bei den hier erwähnten Beispielen, kam es mir aber darauf an, daß die Seminarleiter/Spielleiter sich bewußt für Boals Techniken entschieden haben im Sinne einer ihnen zugrunde-liegenden Forschungsrichtung oder Motivation. So wird das Theater der Unter-drückten als soziologisches Forschungsinstrument einer emanzipativen Handlungs-forschung, die die Veränderung der Hochschulwelt anvisiert, eingesetzt (Schramm-Bülow/Gipser) oder dient der Theatralisierung von Politik (Legislatives Theater in München). In der gewerkschaftlichen Weiterbildung dient es dem Konflikttraining (Konfliktfähigkeit wird hier als Basis für eine erfolgreiche Durchsetzung gewerk-schaftlicher Interessen angesehen) und im Fremdsprachenunterricht zeigt das Theater der Unterdrückten seine teilnehmeraktivierenden Eigenschaften. Generell läßt sich das Theater der Unterdrückten als methodisches Verfahren im handlungsorientierten Unterricht einsetzen. Die Beispiele aus der Arbeit des CTO (Centre du Théâtre de l'Opprimé) in Paris sollen das Bild der verschiedenen Ansätze des Theaters der Un-terdrückten innerhalb der Erwachsenenbildung abrunden.

6.1 Hochschulalltag – ein Handlungsforschungsprojekt von Dietlinde Gipser und Margret Bülow-Schramm

Seit 1988 bis heute leiten Margret Bülow-Schramm und Dietlinde Gipser (Uni Hannover) ein Handlungsforschungsprojekt, das den Hochschulalltag thematisieren soll. In dem hochschulübergreifenden Lehr-Lern-Projekt „Der brüchige Habitus" wird der Hochschulalltag analysiert und zu verändern versucht (vgl. Gipser/Ruping in: Korrespondenzen, 1999, 3). Neben der praktischen Nutzbarkeit der Boalschen Methoden, die die Studierenden kennenlernen, „gewinnen die Studierenden an kritischem Bewußtsein, Selbstwertgefühl und Mut zur Selbstbehauptung, Kreativität, politischem Engagement" (Gipser/Ruping in: Korrespondenzen, 1999, 3). Ausgangspunkt der Überlegungen von Bülow-Schramm und Gipser war die Infragestellung der alltäglichen universitären Berufswelt, „weil trotz der Erfüllung einiger Desiderate der Hochschulreform von 1970 – 1975 die zunehmende Restriktion in bezug auf Leistungsnachweise, Entscheidungsabläufe, Lehrinhalte nicht aufzuhalten ist, dennoch aber darüber kein Diskurs unter den Lehrenden stattfindet" (Gipser in: Ruping, 1993, 147). Unzufriedenheit, Resignation und Ängste würden sich bei Hochschullehrern und Studierenden breit machen (vgl. ebd.). Ebenfalls kritisiert wird die Tatsache, daß die Vermittlung von Handlungsfähigkeit, Autonomie und Eigenverantwortung in Lehre und Bildungsziel nur zaghaft umgesetzt werde. Insbesondere in der Lehrerausbildung, in der alternative Konzepte wie erfahrungsbezogenes Lernen oder kreativer Unterricht gepriesen werden, seien die Seminare der Lehramtsstudenten häufig bestimmt durch instruktive Lehrverfahren und dem Diktat des Referats (vgl. Gipser/Tichy in: Korrespondenzen, 1999, 16). Auch Spinner pflichtet dem bei, indem er es für eine der „Paradoxien der heutigen Lehrerausbildung" hält, daß die Studierenden in vielen Veranstaltungen nach Lernmethoden arbeiten müssen, die sie als Lehrerinnen und Lehrer später nicht anwenden sollten (vgl. Spinner, 1998, 15). Überfüllte Hörsäle, Scheinorientiertheit, mangelnde intrinsische Motivation von Seiten der Studierenden und geringer Praxisbezug lassen Unmut bei Studierenden sowie bei

100

Lehrenden aufkommen. Mit ihrem Handlungsforschungsprojekt verfolgen Bülow-Schramm und Gipser verschiedene Ziele: Zum einen wollen sie nach Möglichkeiten der Veränderung des Hochschulalltags fragen, die den Interessen und Problemlagen der Studierenden und Hochschullehrern entsprechen und Wege für ein gemeinsames Forschen und Lernen „mit Vergnügen" anstreben (vgl. Gipser in: Ruping, 1993, 148). Zum anderen verfolgen sie die Absicht, Erfahrungswissen mit Hilfe von Theatertechniken – wie z.B. dem Forumtheater - zu erweitern und am Beispiel des Unsichtbaren Theaters von Boal eine Verbindung zu konstruktivistischem Lernen an der Hochschule herzustellen (vgl. Gipser/Tichy in: Korrespondenzen, 1999, 17). Sie fordern eine emanzipatorische Forschung, die aus der Verbindung sich gegenseitig ergänzender Forschung und Aktionen besteht. Forschung solle sich für den Einzelnen interessieren, ohne die Gesellschaft aus den Augen zu verlieren (vgl. Bülow-Schramm/Gipser in: Koch u.a., 1995, 150). In ihren weiteren Gedanken nähern sie sich den Zielen des Theaters der Unterdrückten an: Durch den Versuch genaue Konturen von Unterdrückung und Herrschaft zu erkennen, wird die Grundlage für eine Veränderung der Hochschulwirklichkeit geschaffen (vgl. ebd.). Durch Einsatz des szenischen Spiels werden subtile Situationen, nonverbale, indirekte Machtausübungen wahrgenommen und dadurch umdefiniert (vgl. Bülow-Schramm/Gipser in: Koch u.a., 1995, 154). Das Forumtheater fördert das Ausprobieren neuer Verhaltensweisen und die spielerische Veränderung von Situationen. Die erprobten Alternativen stellen ein Forschungsergebnis dar, auch fehlgeschlagene oder unrealistische Strategien liefern einen Erkenntnisgewinn. Mit Hilfe des Forumtheaters sollen neue Haltungen szenisch und analytisch konzipiert werden, wobei zu untersuchen sei, inwiefern die Teilnahme am Forschungsprojekt bereits Veränderungen der eigenen Verhaltensweisen ermöglicht und welche weiteren Auswirkungen festgestellt werden (vgl. Bülow-Schramm/Gipser in: Koch u.a., 1995, 148/149). Das Forumtheater zielt insbesondere darauf ab, für die, die in der gespielten Situation unterlegen sind, Verhaltensweisen zu entwerfen und mit ihnen in einer Szene zu erproben, die sie aus ih-

101

rer Ohnmacht befreien können (vgl. Gipser in: Zeitschrift für befreiende Pädagogik, 1996, 30). Mit der Entwicklung von Phantasie und Kreativität nimmt auch der Mut zu, sich in realen Situationen anders zu verhalten (vgl. ebd.). Problematische Kommunikationsstrukturen zwischen Studierenden und Hochschullehrern sollen in den erarbeiteten Forumtheaterszenen erkannt und durch Probehandeln verbessert werden. Für Gipser verbindet das Boalsche Forumtheater biographische Selbstreflexion mit der Brechtschen Methode des soziologischen Experimentierens. Es bietet die Möglichkeit, „die Postulate einer emanzipatorischen Handlungsforschung praktisch umzusetzen", misst dem „subjektiven Faktor" Bedeutung bei (vgl. ebd.).

Das Projekt „Der brüchige Habitus" stellt das Forumtheater als Forschungsinstrument dar. Folgende Szene aus dem Hochschulalltag wurde als Ausgangsbasis für die Erstellung von Forumtheaterszenen genommen. Sie wurde vor einem Hochschulpublikum aufgeführt und durch Interventionen von Seiten des Publikums unterbrochen und in Variationen durchgespielt.

„Vorbereitung:
Tina und Ella suchen A in der Sprechstunde auf, um die Literatur für die Prüfungsvorbereitungen abzusprechen:
Tina: Für das Thema Sozialfotografie haben wir uns bislang mit Günter beschäftigt ...
A: Ja, ja, prima, was Besseres ist da auch gar nicht zu finden und der Günter reicht dann für das Thema auch. (...).
Ella: Wir haben da noch Kryz ...
A: Ne, ne, der Günter ist völlig ausreichend (...).

Tina und Ella gehen mit ihrem fertigen Thesenpapier eine Woche vor der Prüfung in A's Sprechstunde und stellen das Papier vor. Sie waren darauf eingestellt, daß A 'was zu meckern hat und wollen das vor der Prüfung klären.

Ella: Eingangs wollen wir den Begriff „Sozialfotografie" definieren und einige Charakteristika erörtern. Dafür lehnen wir uns an Günter an (...).
A: Na, was soll ich dazu noch sagen, ist doch alles rund (...).

Prüfungstermin:

Tina kommt völlig aufgelöst aus der Prüfung:

Ella: Wie war's?
Tina: Schrecklich. A hat mir ständig erzählt, daß der Günter nur dummes Zeug geschrieben hat und daß außer dem geschichtlichen Vorbau das gesamte Buch völlig unbrauchbar sei und seine Definition völlig daneben ist.
Ella: Waaas? Ach du Scheiße, und ich erzähl' dem in zwei Minuten das gleiche, aber das mache ich auch, denn woher soll ich denn jetzt so schnell wissen, was der Günter sich aus den Fingern gesogen hat und was nicht und überhaupt (...).

Ella geht mit Maria schwankend und wankend in den Raum, in dem A und B (Prüfungskommission) bereits warten.

A zu Maria: Was wollen Sie denn hier, das ist doch keine Gruppenprüfung ...
Zu Ella: ... oder brauchst du jemanden zum Händchenhalten?

Ella antwortet nicht. Sie ist froh, daß ihre Beine sie noch zum Stuhl getragen haben.

Maria zu A.: Diese Prüfung ist öffentlich und ich erfülle alle Kriterien (...) um sie mir anzusehen.
B zu Maria: dann nennen Sie mir bitte ihren Namen und setzen sie sich dort hinten hin oder, ha, ha, ich habe da noch eine bessere Idee: kochen Sie uns beiden (den Prüfern) doch einen Kaffee, ha, ha.

Maria schweigt und wechselt einen vielsagenden Blick mit Ella.

B zu Ella: So, wen haben wir denn hier?

B schaut Ella fragend an.

Ella weiß ihren Namen einige Sekunden lang nicht, sammelt sich und nennt ihn (der Name war den Prüfern nicht unbekannt).

A zu Ella: Ja, ja, das ist ja ganz nett, aber jetzt komm doch 'mal zur Definition.

Ella schluckt, sie weiß, daß die Definition „falsch und unbrauchbar ist".
Ella: Bei der Definition möchte ich mich an Günter anlehnen (...).
A: das ist doch aber schlicht und ergreifend falsch.

103

Ella: Ich weiß, Tina hat mir eben schon erzählt, daß dir die Definition nicht mehr zusagt, aber ich habe leider keine andere auf Lager und vielleicht kommen wir im Laufe der Prüfung noch zu einer anderen.

Ella wartet förmlich darauf, daß A Günter zerreißt, ist aber zu keinem Gegenargument in der Lage. Sie kann nicht mehr denken, spürt nur noch das Zittern und die Verkrampfungen ihres Körpers. Das ist ihr unangenehm und sie will nicht, daß A und B sie so erleben. Die nicht. Nützt ihr aber nix, das Zittern unter Ausschluß von Denken geht weiter.

Ca. zehn Minuten wird auf dieser fatalen Definition „herumgeritten", bis A ganz stolz seine Definition zum besten gibt.

Die Sitzverteilung im Prüfungszimmer ist äußerst ungünstig, d.h. es ist nie möglich, beide Prüfer gemeinsam oder zumindest ohne größere Pirouetten nacheinander anzusehen.

Ella: B, es tut mir leid, wenn ich mich jetzt mehr A zuwende, aber ich bin zu nervös.

B: Das macht nichts, bei so einem schönen Profil, ha, ha.

A: Und Profil muß man hier schon zeigen, ha, ha.

B: Es ist doch erstaunlich, daß sich bei soviel Temperament die Aufregung bis zum Ende der Prüfung nicht gelegt hat.

Nachbesprechung:

B war nicht mehr im Zimmer, sondern rannte auf dem Flur hin und her.

A zu Ella: Na, dat war ja nicht so doll, eine ganze Note schlechter als bei Tina. Die wußte zwar auch nicht mehr, hat sich dann aber von uns auf den richtigen Weg bringen lassen. Ich habe euch doch schon immer gesagt, daß die Definition das A und O einer Prüfung ist. Hat man die richtige Definition, kann gar nichts schiefgehen.

Ella: Du hast doch gewußt, mit welcher Literatur und mit welcher Definition wir arbeiten ...

A: Ja, aber ich habe in meinen Seminaren immer gesagt, daß Sozialfotografie nur (...) definiert werden kann. Und außerdem, der Günter ist doch ein ganz linker Vogel. Na, und wenn es dich beruhigt, ich habe in meinem Studium auch nie eine Eins bekommen. Das war echt das beste, was ich für dich herausholen konnte, eigentlich warst du schlechter und du kennst doch B. (Gipser in: Ruping, 1993, 145- 147).

Das Projekt „Unsichtbares Theater" entstand in einem soziologischen Einführungsseminar „Es ist normal verschieden zu sein". In diesem Seminar geht es um die Verbindung wissenschaftlicher Themen mit biographischer Selbstreflexion und um die

Erarbeitung anderer Vermittlungsformen als des Referates (vgl. Gipser/Tichy in: Korrespondenzen, 1999, 17). Die Studierenden greifen als aktuelles Thema „Studiengebühren und Zukunft der Arbeit" auf. Es wird eine Szene in Dialogen und Handlungen von den Studierenden vorbereitet. Die Szene kann in Korrespondenzen, Heft 34 (1999) nachgelesen werden, soll hier lediglich - inhaltlich zusammengefasst - wiedergegeben werden. Die vorbereitete Szene soll in einem vollen Regionalzug von Hannover nach Neustadt gespielt werden. Eine Medizinstudentin Mitte-Ende 20, ein Doktorand der Politologie um die 30, eine Kantinenangestellte Mitte 40 und eine Pädagogikstudentin Mitte 20 kommen miteinander ins Gespräch. Dabei kommt es zum Thema Studiengebühren. Im Verlauf der vorbereiteten Szene kommen die vier auch auf die Arbeitswelt im allgemeinen zu sprechen und sind somit mitten in einer gesellschaftspolitischen Diskussion über Wettbewerbsfähigkeit, Überstunden, Wirtschaft, Ungerechtigkeit, Bildung usw. Während der vorbereiteten Szene schalteten sich Passanten ein und die Akteure mußten darauf improvisierend reagieren (vgl. Gipser/Tichy in: Korrespondenzen, 1999, 18 – 20).

Die Reaktionen des Publikums werden von den Studierenden wie folgt beschrieben:

„In unserem Zugabteil sind viele Leute aufmerksam geworden, haben die Diskussion wahrgenommen, ihr z.T. aufmerksam zugehört und/oder mitdiskutiert. Bei einigen Mitfahrenden hatte sie nach unserer Meinung auch nach der Ankunft am Zielort Nachwirkungen. Hier gab es viele interessierte Zuhörer und vor allem engagierte Stellungnahmen von verschiedenen Seiten, die wiederum zu eigenständigen Diskussionen unter den Fahrgästen führten. Alle waren contra Studiengebühren und gegen die ständig steigende Besteuerung der Arbeitnehmer, die damit den Staat aus der Verantwortung entlassen sollen und die „armen" Unternehmer entlasten. (...) Ein Fahrgast, der zuerst im Gang hinter Doris stand, hat sich bald nachdem Melanie sich wegen der Studiengebühren an Doris gewendet hat, ebenfalls zu diesem Thema geäußert und einen Nebenschauplatz eröffnet. Er hat die Ungerechtigkeit der Studiengebühren im Speziellen und die Ungleichverteilung der öffentlichen Gelder auf die wohlhabende/ weniger wohlhabende Bevölkerung im Allgemeinen bemängelt. Später hat er auf dem gegenüberliegenden Vierersitz von Melanie gesessen und sich mit einer weiteren Mitfahrerin unterhalten, aber auch weiterhin am Gespräch mit Melanie festgehalten. Hier ging es u.a. auch um das Kindergeld.(...) Ein

anderer, offensichtlich gutsituierter Fahrgast, war der Ansicht, daß die wohlhabenden Eltern von Studenten mehr für ein Studium bezahlen müssten.(...) Durch unsere Theateraktion und durch die Beteiligung einiger Fahrgäste am Gespräch sind Unterdrückung bzw. soziale Mißstände aufgedeckt und sichtbar gemacht worden. Erfreulich war, daß von den Mitreisenden auch andere Themen angesprochen und weitere Beispiele gebracht wurden. Zwei gegenübersitzende ausländische Fahrgäste wirkten sehr verunsichert, wagten nicht, sich einzumischen. Auch hier wurde Unterdrückung sichtbar, wenn auch nicht bezogen auf unser Thema"(Gipser/Tichy in: Korrespondenzen, 1999, 20/21).

Anders als bei konventionellen Formen des Theaters, die im geschützten Raum der Bühne eine „Als-Ob-Welt" schaffen, ist das Unsichtbare Theater in der Wirklichkeit des Alltäglichen angesiedelt. Wirklichkeit wird hier konstruiert wobei das von den Studierenden gemeinsam entworfene Konstrukt und die Inszenierung zeigt, daß jeder die Fähigkeit besitzt, für sich selbst neue Wirklichkeiten zu entwerfen. Niemand sei dazu verurteilt, die ihm zugedachte Rolle zu übernehmen (vgl. Gipser/Tichy in: Korrespondenzen, 1999, 22). Das hier beschriebene Seminar folgte lerntheoretisch konstruktivistischen Überlegungen wie dem Prinzip der Komplexität von Lerninhalten, dem Prinzip des autonomen Lernens durch authentische Interaktion im sozialen Kontext und dem Prinzip Wirklichkeit, „das in der Gestaltung des Unsichtbaren Theaters realer nicht sein kann" (Gipser/Tichy in: Korrespondenzen, 1999, 23).

Nachdem Gipsers theaterpädagogische Arbeit in der Universität an einem erziehungswissenschaftlichen Fachbereich anfänglich nicht ernstgenommen wurde, da sie nicht „wissenschaftlich" sei, wurde sie aufgrund der hohen Teilnehmerzahlen mißtrauisch beäugt (dies obwohl die Studierenden dort keinen Schein erhielten), dann „mehr oder weniger akzeptiert" (zahlreiche Publikationen folgten). Inzwischen wird sie eher geschätzt und ihre Arbeit als „innovativ" betrachtet (vgl. Gipser/Ruping in: Korrespondenzen, 1999, 3).

6.2 Legislatives Theater in München

Nachdem die Paulo-Freire-Gesellschaft Augusto Boal einlud, einige Beispiele für die Vorgehensweise des Legislativen Theaters in der Stadt München vorzustellen, entstand die „europäische Fachkonferenz zum Legislativen Theater" 1997 in München. An der Fachhochschule München (Fachbereich Sozialwesen) in Pasing fanden die Vorbereitungen sowie die Workshops statt. Federführend für Planung und Organisation der Veranstaltung war Fritz Letsch, Theaterpädagoge in München und Multiplikator von Augusto Boal. Ca. dreißig Theaterkollegen aus Brasilien, Finnland, Frankreich, den Niederlanden, Schweden, Österreich und Deutschland trafen sich, um ihre Arbeit mit dem Theater der Unterdrückten im Feld der Politik weiterzuentwickeln (vgl. Letsch, http://home.t-online.de/ home/ Fritz.Letsch). In Kapitel 2 wird das Legislative Theater in Rio de Janeiro ausführlich beschrieben.

Die Teilnehmenden der Konferenz haben mit Studierenden und Interessierten Szenen aus dem eigenen Erleben erarbeitet, um sie dem Publikum im Kleinen Sitzungssaal des Rathauses vorzustellen. Boal erklärt, daß es in Rio ganze vier Jahre gebraucht hatte, fünfzig neue Gesetze zu entwickeln von denen er dreizehn mit Hilfe des dortigen Gesetzes vorschlagen durfte und zur Verabschiedung bringen konnte. Ein erster Unterschied zu München, denn wichtige Gesetze werden auf Bundesebene verabschiedet. Auch die Prozentzahlen für die Durchsetzung eines Bürgerbescheids sind in Deutschland wesentlich höher. Man muß also davon ausgehen, daß die rechtliche Handhabe Boals in Rio eine völlig andere war als die der Fachkonferenz in München. Dementsprechend erklärt Boal auch, daß die Fachkonferenz in den vier Tagen lediglich eine symbolische Vorstellung davon bringen könne, was diese Theaterform in der Zukunft in der Stadt München oder an anderen Orten bedeuten könnte (vgl. Letsch, http://home.t-online.de/ home/ Fritz.Letsch/). Altstaedt /Gipser kritisierten den showhaften, publikumswirksamen Charakter der Darbietung des „großen Meisters Boal", der sich mehr Aufmerksamkeit für seine neue Methode von Seiten der bundesdeutschen Presse verschaffte, als sich um die mühevollen Lernprozesse der

Teilnehmer zu bemühen (vgl. Lerchl, 1998, 42). Lerchl hatte nicht den Eindruck, daß es Boal um die Aufmerksamkeit für seine Person ging, sondern vielmehr, daß er als „Distributeur" seiner Methode auftrat. Es ging ihm nach ihrer Ansicht um die Anwendungsform des Legislativen Theaters (vgl. ebd.).

Beim Legislativen Theater wird in der Regel das Forumtheater dazu verwendet, um zu demonstrieren, daß gesellschaftliche Mißstände nicht mehr durch Verhaltensänderungen der Protagonisten allein beseitigt werden können (vgl. Lerchl, 1998, 31). In darauf folgenden Diskussionen werden entsprechende Gesetzesänderungen entwickelt. Im folgenden möchte ich den Verlauf der Theaterarbeit mit Augusto Boal bei dieser Konfernz skizzieren.

Nach anfänglichen Körper- und Aufwärmübungen diskutierten die Teilnehmer über politische Themen und Problemstellungen, die sie als in Europa aktuell empfanden (vgl. Lerchl, 1998, Materialband, 29). In diesem Zusammenhang erwähnte Boal das Beispiel der Zwangsheirat von Ausländerinnen mit deutschen Männern, um ihre Aufenthaltsgenehmigung in Deutschland zu behalten und nicht in ihre Heimat abgeschoben zu werden. Nach § 19 des Ausländergesetzes gilt in Deutschland die Regelung, daß eine ausländische Frau zuvor vier Jahre lang in Deutschland verheiratet gewesen sein muß, um ihre Aufenthaltsgenehmigung nicht zu verlieren. Mit etwas Phantasie läßt sich erahnen, welche Dramen sich infolgedessen unter deutschen Dächern abspielen können.

Ein weiteres Anliegen war zum Beispiel die Unzufriedenheit eines Teilnehmers mit der Raumplanung in München, die zu viel Raum und Geld für kommerzielle Zwecke, wie z.B. die Planung des neuen Fußballstadions zur Verfügung stellt, wohingegen zu wenig Raum und Geld für die alltägliche Freizeitgestaltung der Münchner, insbesondere der Kinder, eingeplant würde (vgl. Lerchl, 1998, Materialband, 29).

Drei weitere Themenbereiche kristallisierten sich heraus:

> *„Das Arbeitspunktesystem im Rahmen der neuen Pflegeversicherung wurde bemängelt, bei dem Arbeitszeit und -lohn des Pflegepersonals nach einzelnen*

Arbeitsvorgängen berechnet wird. Das Pflegepersonal wird dabei nur noch für unabdingbare Leistungen bezahlt und steht dadurch unter ständigem Zeitdruck. Dabei gerät die Pflege als solche leicht zur maschinellen Abfertigung. Es bleibt keine Zeit mehr, den menschlichen Kontakt zu pflegen. Eine Teilnehmerin wollte sich mit dem Themenbereich „Mindesteinkommen" beschäftigen, der in unserer Zeit steigender Arbeitslosenzahlen große Brisanz hat. Desweiteren wurde das Thema Abschiebung von Ausländern noch einmal aus einem anderen Blickwinkel (...) in die Diskussion eingebracht"(Lerchl, 1998, Materialband, 29/30).

Im Anschluß an die darauffolgende Aufwärmphase sollten die Teilnehmer fünf Gruppen bilden. Jeder sollte ein Bild zum Thema „Unterdrückung" finden und darstellen. Jedes Bild wurde der großen Gruppe vorgestellt und reflektiert. Gegen Ende sollte der „Unterdrückte" ein Idealbild der von ihm dargestellten Situation zeigen. Damit stellen die Teilnehmer ihre Bilder von Unterdrückungssituationen und ihre Idealbilder, als Wunschbild der Veränderung, vor (vgl. Lerchl, 1998, Materialband, 30).

Die fünf Themen, die sich herauskristallisiert haben, werden in kurzen Überschriften zusammengefaßt:

„1. Raum-Mangel für Freizeit und Erholung
2. Moderne Sklaverei
3. Negativfolgen der Pflegeversicherung
4. Mindesteinkommen
5. Heirat von Homosexuellen"
(Lerchl, 1998, Materialband, 30).

Nachdem sich jede Gruppe für ein gemeinsames Bild zu ihrem Thema entschieden hat, werden sie der großen Gruppe vorgestellt. Boal forderte die Darsteller jeder Gruppe auf, ihre Gedanken und Gefühle in Form eines Monologs zu äußern, um besser in die Situation und den Charakter der dargestellten Person hineinzufinden. Bereits in den ersten Szenen kamen die Wünsche und Bedürfnisse der Protagonisten zum Ausdruck. Angesichts der rechtlichen Situation haben diese Bedürfnisse kaum eine Chance, in die Realität umgesetzt zu werden (vgl. Lerchl, 1998, Materialband, 31). Die Szenen werden abschließend in der Großruppe besprochen. Um die bisher erarbeiteten Szenen „in die Gänge" zu bringen und die Charaktere und deren Beziehung untereinander dynamischer und farbiger zu gestalten, empfiehlt Boal die „Hannover-Fragetechnik", „Innehalten und laut denken", „Verfremdung des Stils", „Probe mit unterschiedlichen Gefühlen" und „Probe mit Tierrollen" anzuwenden (siehe auch in Boals neuestem Buch, „ Der Regenbogen der Wünsche", 1999).

So wird die Szene „Negativfolgen der Pflegeversicherung" unter Anwendung der „Innehalten und laut denken"-Technik gespielt:

> *„In dieser Szene geht es um einen alten, pflegebedürftigen Mann, der zum einen von Familienangehörigen und zum anderen von einem Pflegedienst versorgt wird. Da der zuständige Pfleger sich strikt an das Arbeitspunkte-System der Pflegeversicherung hält, um seinen äußerst knapp bemessenen Zeitplan einhalten zu können, und die Angehörigen nicht mehr Zeit investieren können, leidet die Versorgung des alten Mannes in erheblichem Maße darunter.Eines morgens, nachdem der alte Mann am Vorabend kein Essen bekommen hatte, kommt es zur Auseinandersetzung zwischen den Angehörigen und dem alten Mann. Boal brachte immer wieder seine „Stop!"- Rufe dazwischen ein, worauf die Darsteller mitten in ihren Bewegungen verharrten und ihre Gedanken und Gefühle laut vor sich hin monologisierten" (Lerchl, 1998, Materialband, 32/33).*

Als nächsten Programmpunkt, nachdem die Kernszenen aller Gruppen mit Hilfe neuer Techniken erweitert und verfeinert wurden, schlug Boal vor, die Szene „Negativfolgen der Pflegeversicherung" exemplarisch als Forum zu proben. Dabei ergibt sich die Möglichkeit, den alten Mann zu ersetzen. Jede Intervention von Seiten der Zu-Schauspieler wird von Boal auf ihre Durchführbarkeit und Effizienz hin besprochen (vgl. Lerchl, 1998, Materialband, 34). In einem weiteren Arbeitsschritt fordert Boal die Teilnehmer auf, ihre Anliegen in Form von Vorschlägen zu Gesetzesänderungen zu verfassen, um damit Möglichkeiten zu schaffen, ihren jeweiligen Protagonisten in den erarbeiteten Szenen zu helfen, ihre Lage zu verbessern (vgl. Lerchl, 1998, Materialband, 35).

Bei der abschließenden Präsentation der Forumtheaterszenen im Rathaus, wurden „Negativfolgen der Pflegeversicherung" und „Antrag auf Sozialhilfe" vom Publikum ausgewählt. Augusto Boal begrüßte das Publikum und erklärte mit einfachen, klaren Worten die Grundzüge des Theaters der Unterdrückten und des Legislativen Theaters (vgl. Lerchl, 1998, Materialband, 37). Er motivierte auf heitere Weise das Publikum zum Mitmachen und machte einige Aufwärm- und Lockerungsübungen. Lerchl beschreibt die zwei ausgewählten Forumtheaterszenen und deren Präsentation im Rathaussaal wie folgt:

„Bei der ersten Intervention rief die Zu-Schauspielerin in der Rolle des alten Mannes per Telefon die Familienangehörigen herbei:"Kommt doch mal vorbei, der Pfleger ist schon wieder unmöglich!" Boal fragte anschließend nach jeder Intervention die ZuschauerInnen, was die Zu-SchauspielerInnen anders als der jeweilige Protagonist im Modell gemacht hätten. Die ZuschauerInnen beantworteten dies mit kurzen Einwürfen, wie in diesem Fall: „Die Zu-Schauspielerin insistierte mehr." „Sie war aktiver und verständigte die Familie."
Die zweite Zu-Schauspielerin nahm dem Pfleger die Zahnbürste aus der Hand und putzte selbständig ihre Zähne und bestand darauf, etwas zum Abendessen zu bekommen. Sie zeigte somit ein weitaus selbstbewußteres Verhalten, als der Protagonist der Modellszene. Ob sie diesbezüglich Erfolg haben würde, ging aus der knappen Sequenz nicht mehr hervor, da Boal die Szene vermutlich aus Zeitgründen abbrach, um die ZuschauerInnen, die sich für das Mitspiel im Forum durch Handzeichen meldeten, zum Zuge kommen lassen. Der darauffolgende Zu-Schauspieler verstärkte die insistierende Haltung seiner Vorgängerin und bestand auf seine Mahlzeit. (...) Diese (eine weitere Zu-Schauspielerin) ersetzte ein Familienmitglied aus der Modellszene bei der Diskussion mit dem Pfleger an der Stelle, wo es zur Diskussion kommt. Sie stellte dem Pfleger Fragen und appellierte an mehr Flexibilität, was in der Szene jedoch zu keiner erkennbaren Veränderung der Situation führte. Die letzte Intervention war also sozusagen von existentieller Bedeutung. Die Zu-Schauspielerin rief bei der letzten Sequenz in der Rolle des alten Mannes auf der Toilette nach Hilfe. Ihre Rufe wurden gehört und so konnte sie für dieses mal Ihr Leben retten.(In der Modellszene stirbt der alte Mann durch einen

111

Sturz auf der Toilette, während der Auseinandersetzung der Familienangehörigen mit dem Pfleger)" (Lerchl, 1998, Materialband, 39/40).

Die zweite Forumtheaterszene „Antrag auf Sozialhilfe", die vor dem Publikum aufgeführt wurde, erhielt durch die letzte Intervention einer Zu-Schauspielerin sogar eine Lösung. Sie brachte einen sehr wichtigen fachlichen Beitrag ins Spiel ein: Durch gesetzliche Bestimmung muß das Sozialamt bei mehr als zwei Monaten Bearbeitungszeit einen Vorschuß leisten (vgl. Lerchl. 1998, Materialband, 41).

Boal wurde mit großem Applaus verabschiedet und die Stadträtin der Grünen, Jutta Koller, nahm die Gesetzesvorschläge entgegen. Sie wolle die Gesetze zur Diskussion weiterreichen (vgl. Lerchl, 1998, Materialband, 41). Leider ist es mir aufgrund der recht spärlichen Literaturlage zu diesem Projekt nicht möglich gewesen, die erarbeiteten Gesetzesentwürfe vorzustellen.

Wenn auch die rechtlichen Möglichkeiten des Einbringens von Gesetzesvorschlägen in München nicht vergleichbar sind mit den Möglichkeiten, die Augusto Boal als Stadtrat in Rio de Janeiro hatte (vgl. Kap. 2), so stellt der Versuch Legislatives Theater in der BRD auszuprobieren eine spielerische Alternative gegenüber mangelnder Bürgerbeteiligung und politischem Desinteresse dar. Es ist der Versuch, Themen und Probleme der Bevölkerung in Beispielen und Szenen sichtbar zu machen und der Stadt München entsprechende Gesetzesvorschläge zu deren Lösung vorzulegen. Desweiteren ging es Boal um die Weitergabe seiner in Brasilien entwickelten Technik an interessierte Theaterpädagogen, um diese wiederum zum Einsatz dieser Theatermethode zu animieren. Die politische Effizienz der Münchner Aktion müßte an anderer Stelle diskutiert werden.

6.3 Die Integration von Elementen des Theaters der Unterdrückten in den Fremdsprachenunterricht

Daniel Feldhendler und Bernard Dufeu untersuchen seit 1977 am „Centre de Psychodramaturgie" in Mainz und an den Universitäten von Mainz und Frankfurt Verfahren für einen teilnehmeraktivierenden Fremdsprachenunterricht. In diesem Zusammenhang ist die Anwendung von Techniken des Theaters der Unterdrückten im Fremdsprachenunterricht auf die Arbeit von Feldhendler und Dufeu zurückzuführen.

Europäischer Einigungsprozeß, Globalisierung der Ökonomie, die Vorherrschaft westlicher Sprachen in internationalen Institutionen veranlassen Erwachsene, sich Sprachkenntnisse z.b. im Englischen oder anderen Sprachen durch einen Sprachkurs zu verschaffen oder sie zu verbessern. Auch eine große Zahl von Spätaussiedlern werden in Intensiv-Sprachkursen für Deutsch unterrichtet. Teilweise werden von den Teilnehmern an Volkshochschulkursen Zertifikate angestrebt, um eigene Berufsaussichten zu erhöhen (vgl. Wiegand, 1999, 83). Auch für die Spätaussiedler ist es von beruflichem Vorteil, wenn sie die deutsche Sprache gut beherrschen. Aus eigener Erfahrung (der Verfasserin) als Deutschlehrerin ist bekannt, daß die Deutschsprachkenntnisse der Spätaussiedler der 90er Jahre im Durchschnitt gering sind. Gerade aber für die Intensiv-Kurse der Spätaussiedler, die sich über die gesamte Woche von morgens bis nachmittags erstrecken, ist eine methodische Auflockerung vonnöten, sollte der Sprachunterricht nicht in einer trockenen und spröden Art vollzogen werden und dadurch die Motivation der Teilnehmer erschwert werden.

Auch in den Kursen der Volkshochschulen werden die Erwartungen, die Fremdsprache schnell und effektiv zu erlernen, nicht erfüllt, was zu hohen Abbrecherquoten besonders in Anfängerkursen führt. Die Gründe für den frühzeitigen Abbruch sind nicht nur in den Einstellungen der Kursteilnehmer zu finden, sondern auch in der Art und Weise des Fremdsprachenunterrichts selbst. Die Kurse sind - obwohl auf Kommunikation ausgelegt - un-kommunikativ, weil die Teilnehmer nicht „authentisch im Unterricht miteinander sprechen" (Wiegand, 1999, 84). Die „kommunikativen

Übungen" sind durch das Lehrwerk und die Sprachkursleiter/innen vorbestimmt, d.h. ein bestimmtes Programm legt fest, welche Grammatikform beispielsweise wie und in welcher Lektüre geübt werden soll" (Wiegand, 1999, 84). Die Bedingungen des Lernens, das einem durch ein Lehrwerk vorgegebenem Programm folgt, skizziert Wiegand wie folgt:

> „– *die Räumlichkeiten werden nicht von den Teilnehmern gestaltet.*
>
> – *die Gruppengröße – besonders bei Anfängergruppen in der Erwachsenenbildung, aber auch in den Schulen durch zu hohe Schülerzahlen – fördert nicht das individuelle Lernen.*
>
> – *die Teilnehmer/innen erleben den Unterricht sitzend, was statische Tendenzen in der Gruppe begünstigt und rigide Lernstrukturen erzeugt.*
>
> – *die Institution, der der Lehrer angehört, gibt meistens ein Lehrtempo vor.*
>
> – *der Unterricht ist auf ein Lehrwerk zentriert, die Lerngruppe soll anhand des Lehrwerks ein bestimmtes linguistisches Programm erarbeiten, den besonderen Interessen und unterschiedlichen Lernrhythmen der einzelnen Individuen wird nicht Rechnung getragen, das Programm ist standardisiert und es trägt zur Gruppen-Standardisierung bei.*
>
> – *die Teilnehmer bekommen eine fertige Sprache als „Konsumangebot", die Inhalte dieser formalisierten Sprache, die in der Regel mit dem Leben der Teilnehmer/innen überhaupt nichts zu tun hat, werden von Verlagen, Autoren und Lektoren festgelegt, d.h. sie sind weitestgehend fremdbestimmt.*
>
> – *in den pseudokommunikativen Übungen, die die Lehr- und Arbeitsbücher anbieten, bleibt Spracherwerb – oft als grammatikalischer Transferakt – anonym, er ist frei von Überraschungsmomenten, das Unterrichtsgeschehen ist hingegen stark ritualisiert (z.B. Lektüre eines Textes aus dem Lehrwerk: Der Lehrer liest zuerst vor, danach lesen einzelne Teilnehmer/innen einzelne Textpassagen, anschließend stellt der Lehrer Fragen zum Vokabular und zum Textverständnis, später erarbeiten sich die Teilnehmer durch „kommunikative Übungen" aus dem dazugehörenden Arbeitsbuch grammatikalische Strukturen, die Bestandteile des zuvor gelesenen Textes sind etc.*
>
> – *die Priorität der Sprachvermittlung liegt auf der Form, die Sprache ist Ziel, aber nicht Mittel der Kommunikation der Teilnehmenden, „der Lehrer spielt die Rolle des pädagogischen Bruders, der die ganze Sprachproduktion überwacht" (Dufeu, 1985), die Teilnehmer sprechen, drücken sich aber nicht aus, sie sind nicht betroffen durch das, was sie sagen, sie sind nicht wirklich als Personen in den pädagogischen Lern-Situationen invol-*

viert, die Figuren aus den Lehrwerken, über die man redet, sind in der Regel steril, die Dialoge über sie von geringem Interesse.

- *der Lehrer stellt häufig Fragen, deren Antworten er kennt. Zu Recht fragt Dufeu (1985) kritisch: „Warum fragt er, wenn er die Antwort ohnehin kennt?"*

- *bedingt durch den Kontext eines weitestgehend fremdbestimmten und unpersönlichen Unterrichts kommt es zu Versagensängsten (alte Schulerinnerungen kommen bei Erwachsenen wieder zum Vorschein) und zur Gruppenfluktuation – sofern es sich um Veranstaltungen auf der Basis von Freiwilligkeit handelt.*

- *aufgrund der alten Schulerfahrungen erwarten die Teilnehmer/innen oft von sich aus einen grammatikorientierten Unterricht, das Erlernen einer Fremdsprache ist somit meistens assoziiert mit Mühsal, Vokabeln lernen und Vergeßlichkeit" (Wiegand, 1999, 84/85).*

Piepho und Richards/Rodgers vertreten deshalb die Auffassung, daß der Spracherwerb im fremdsprachlichen Unterricht sich auf folgende Punkte zu konzentrieren hat: Sprache ist ein Zeichen des persönlichen Ausdrucks, ein semiotisches System und ein Lernziel. Sie ist desweiteren Ausdruck von Werten und Urteilen über sich selbst und andere. Der Spracherwerb soll sich an den Bedürfnissen der Teilnehmer orientieren, die Fehler machen dürfen und sollen. Hinzu kommt, daß der Sprachunterricht nach Piepho und Richards/Rodgers außersprachliche Ziele, wie z.B. die Gruppenintegration u.a. verfolgen sollte (vgl. Wiegand, 1999, 85). Diesen Anforderungen kommt die Lehr- und Lernform der relationellen Dramaturgie entgegen[16]. Die relationelle Dramaturgie möchte den Lernenden aktiv am Unterrichtsgeschehen beteiligen, indem sie ihnen Möglichkeiten zum Erleben gibt (vgl. Feldhendler, 1992, 88). Die Teilnehmer sind nicht passive Konsumenten, sondern aktiv Handelnde und bestimmen den Unterrichtsverlauf mit. Es ist darauf zu achten, daß die Themen die Lernenden betreffen. Ein weiterer wichtiger Aspekt dieses Ansatzes ist die ganzheitliche Arbeitsweise, die Körper, Körperhaltung, Bewegung, Gefühle und Stimme als Teile einer „unsichtbaren Grammatik" mitberücksichtigt (vgl. ebd.). Es werden Si-

---

[16] Dieser Ansatz im Bereich der Fremdsprachenvermittlung wurde von Daniel Feldhendler in Zusammenarbeit mit Bernard Dufeu entwickelt und basiert auf der Kombination von Elementen der Dramaturgie, wie z.B. Boals Theatertechniken und des Psychodramas.

tuationen und Themen szenisch umgesetzt und dargestellt und das Erlernen der Sprache vollzieht sich in einer „ganzheitlichen, emotionalen Betroffenheit durch Rollenübernahme und Identifikation mit der Rolle" (Feldhendler, 1992, 88). Körperhaltungen, Gesten, Bewegungen begleiten die sprachliche Produktion und fehlender Wortschatz und linguistische Kenntnisse werden begleitend zum Lernprozeß vermittelt. Psychodramatische Prinzipien wie Doppeln, Spiegeln, Rollentausch würden es dem Lehrer ermöglichen, fehlendes Sprachmaterial in der Situation einzuführen und die Teilnehmer sprachlich zu unterstützen (vgl. Dufeu, 1983). „Die Lernenden begegnen der Sprache situativ. Da die jeweiligen Themen in redundanter Form von verschiedenen Aspekten neu betrachtet werden, werden Sprache und Wortschatz immer wieder vertieft. Das Lernen in diesen neu auftretenden Zusammenhängen ist dabei mit der Dynamik der Gruppenentwicklung eng verflochten. Das Behalten und Verankern des Wortschatzes wird durch das ´emotionale Gedächtnis´ (Rellstab 1976, 36f) unterstützt" (Feldhendler, 1992, 89).

Der Unterrichtsverlauf der relationellen Dramaturgie gliedert sich in der Regel in drei Phasen auf: Eine Aufwärm- und Sensibilisierungsphase, eine Bearbeitungs- und Vertiefungsphase und eine Abschlußphase (vgl. Feldhendler, 1992, 89). Die methodischen Verfahren der relationellen Dramaturgie wie das Bildertheater und das Forumtheater von Boal, das Playback Theater (Fox) sowie soziodramatische Arbeitsweisen und psychodramatische Rollenspiele (Moreno, Feldhendler) bilden den Schwerpunkt (vgl. Feldhendler, 1992, 91).

In der ersten Phase werden Spiele und Übungen durchgeführt, die zunächst nonverbal die Ausdrucksfähigkeit des Körpers trainieren. Ziel dieser Phase ist es, die einzelnen Gruppenmitglieder zu integrieren, die Körpersinne zu schulen, das gegenseitige Kennenlernen sowie die Sensibilisierung für die anderen Kursteilnehmer und die Umgebung zu fördern (vgl. Neuroth, 1994, 95). In der Lernphase wird mit szenischen Darstellungen gearbeitet, in der die Fremdsprache soweit als möglich gesprochen wird, wobei der Kursleiter zur Hilfe und Korrektur bereitsteht. „Die Themati-

sierung der Beziehungsebene schafft Sprechanlässe aus der Situation der Teilnehmer. Es werden Phantasien und Projektionen freigesetzt, die die Lust an der Mittei-
lung wecken und so wiederum die Sprechmotivation steigern" (Neuroth, 1994, 96).
Bestimmte Vokabeln, die im Dialog oder der Handlung gebraucht werden, behält der
Teilnehmer bereits beim einmaligen Benennen. Auch beim Forumtheater wird situativ die Kommunikation in der Fremdsprache geübt. Da der Lernstoff nicht abstrakt
ist, sondern sich auf die Erfahrungen der Teilnehmer bezieht, wird das Erlernte besser im Gedächtnis behalten. Auch die Interview-Technik, die die Identität der Rolle
hinterfrägt und die „Stop und Denke!"-Technik, die die Charaktere einen inneren
Monolog sprechen läßt, können im Fremdsprachenunterricht angewendet werden
(vgl. Neuroth, 1994, 96). Um die theoretischen Ausführungen durch ein praktisches
Beispiel (Fortbildungsseminar für Lehrer aus Schul- und Erwachsenenbildungsbe-
reich) zu erläutern, möchte ich Simone Neuroth zitieren:

*„Zu Beginn des Seminares wurden Übungen und Spiele durchgeführt, die
auch im traditionellen Klassenzimmer angeboten werden können. Dem lag die
Überlegung zugrunde, daß Menschen, deren Unterrichtserfahrung sich auf
den traditionellen Frontalunterricht beschränkt, durch die Aufforderung, auf-
zustehen und sich zu bewegen, zunächst verunsichert werden. Mittels Zuwer-
fen eines Balles wurde ein Namensspiel durchgeführt. Derjenige, der den Ball
gerade gefangen hatte, war an derReihe, so daß spontan geantwortet werden
mußte. Nach dem gleichen Prinzip versuchten die Teilnehmer in einem anderen Spiel eine Assoziationskette aus Wörtern aufzubauen. Diese Übung er-
schien den Lehrern und Lehrerinnen besonders für Anfängerkurse geeignet.
Im nächsten Schritt wurde die Gruppe aufgefordert, ziellos durch den Raum zu
gehen. Beim Zusammentreffen mit anderen sollte jeweils der Satz: „Mir fällt
auf, daß Du ..." ergänzt werden. Diese und andere Integrationsübungen dien-
ten der Vorbereitung der folgenden Statuenarbeit.*
*Es wurden paarweise Statuen gebildet, ohne dabei zu sprechen. Die Körper-
bilder wurden der Gesamtgruppe vorgeführt, die dazu in der Fremdsprache
ihre Assoziationen formulierte. Danach wurden die Statuen mit einem imaginären Mikrophon zu ihren Körperhaltungen interviewt. Hier fiel auf, daß vor
der Arbeit mit dem Statuentheater über einen längeren Zeitraum hinweg spielerisch gruppendynamische Prozesse eingeleitet werden müßten, damit eine
entspannte Unterrichtsatmosphäre entsteht. Darüber hinaus tauchte die*

Schwierigkeit auf, den Prozeß des Bildertheaters auf die Einheit einer Unter-richtsstunde zu beschränken" (Neuroth, 1994, 97).

Das „Lebendige Zeitungstheater" von Feldhendler, ist eine Kombination der Methode „Lebende Zeitung" von Moreno und dem Zeitungstheater von Boal. Feldhendler begreift das lebendige Zeitungstheater als teilnehmeraktivierende Methode, die die szenische Umsetzung von Nachrichten und Informationen vor allem in Sprachkursen zum Ziel hat (vgl. Wiegand, 1999, 92). Ausgangsmaterial stellen Pressenachrichten, Kurznachrichten oder Texte aus dem Erlebnisbereich der Teilnehmer dar. Als Beispiel aus der Praxis mit Feldhendlers lebendiger Zeitung soll eine Fortbildung für Sprachlehrer beschrieben werden, die Feldhendler 1992 in Gießen leitete. Die Gruppe der Teilnehmenden bestand vorwiegend aus Personen, die an Schulen Fremdsprachen oder Deutsch sowie Deutsch als Fremdsprache im Bereich der Erwachsenenbildung unterrichteten. Aufgrund einer Schlagzeile aus der Bildzeitung. „Meine Frau hat mich verlassen!", sollte die Gruppe in einem ersten Schritt Gedanken zur vorgetragenen Überschrift äußern. Dabei kam es zu Aussagen wie: „Eine ganz alltägliche Geschichte", „Das Ende einer langen Krise", „Oh, der Ärmste". „Wahrscheinlich hat sie richtig gehandelt" etc. (vgl. Wiegand, 1999, 94). In der nächsten Phase verteilten sich die Teilnehmer im Raum umd suchten sich einen Partner wobei sie einander mitteilten, wie sie sich den verlassenen Ehemann vorstellten:

„ Ich sehe, daß

– er ins Berufsleben flüchtet

– er gelegentlich an abendlichen Vereinssitzungen teilnimmt

– er Überstunden macht, um sich bestimmte Konsumwünsche erfüllen zu können

– er von seiner Frau betrogen wird etc. " (ebd.)

Anschließend stellten sie ihre Vorstellungen von der Ehefrau vor. Als die Teilnehmer im Kreis stehen, sollen sie sich in jeweils für sie passende Posen des Ehemanns oder der Ehefrau stellen und diese mit entsprechenden Sätzen untermalen. „Ein Mann drückte eine verzweifelte Pose des imaginierten Mannes wie folgt aus: Leicht nach vorne gebeugt stand er da und hielt die Hände vors Gesicht. Dazu machte er spontan einen passenden Satz: „Kann denn das wahr sein, was habe ich bloß falsch gemacht?" (ebd.).

Die Teilnehmer produzieren in diesem Prozess eigenes Sprachmaterial, welches durch Assoziationen zu einer vorher dargestellten Körperstatue entsteht.

In der Arbeitsphase arbeiteten die Teilnehmer mit der auch von Boal benutzten Übung „West-Side-Story":

> *„Alle die, die in der vorgehenden Phase sich mit der Rolle der Frau beschäftigten, formierten sich zu einer Reihe. Demgegenüber übernahmen andere – ebenfalls in einer Reihe – die Rolle des Mannes.(...) Als sich die Reihen gegenüberstanden, ging für kurze Zeit jeweils ein Teilnehmer auf die andere Gruppe zu und teilte ihr in der Rolle des Mannes – oder der Frau – in der Ich-Form etwas mit, z.B. „Laß uns ein anderes mal darüber reden, ich habe heute noch wichtige Termine". Alle in der Rolle des Mannes – hinter dem Vorredner – wiederholten dies. Dann kam jemand von der anderen Reihe, die die Ehefrau verkörperte, zum Vorschein, trat hervor und sagte in barschem Ton: „Du immer mit deinen Terminen. Für uns hast du angeblich immer so wenig Zeit". Alle hinter ihr wiederholten dies. Aufgabe war hierbei, dies so zu gestalten, daß die eigene Gruppe als einstimmiger Chor auftritt. Als Replik erschien jemand von der anderen Seite und rechtfertigte sich in der Rolle als „Richard M.": „Wer von uns beiden hat denn die nötigen Überstunden gemacht, damit wir zweimal im Jahr in Urlaub fahren konnten?" (Wiegand, 1999, 95).*

Simone Neuroth, die an dieser Fortbildung teilnahm, beschreibt die Resonanz der Teilnehmer. Als besonders positiv wird die „Thematisierung der Beziehungsebene" gesehen, wohingegen die „Handhabung von Korrektur und Verbesserung von sprachlichen Fehlern während der Spiele" kritisiert wird (Neuroth, 1994, 101). Denn es ist zu befürchten, daß etwaige Verbesserungen, die Spielfreude und Spontaneität von sprachlichen Reaktionen hemmen können. Im Spannungsverhältnis zwischen Lehrplan, Leistungsbeurteilung und kreativer Lernmethode muß der Einsatz des Theaters der Unterdrückten im Fremdsprachenunterricht betrachtet werden. Das gesellschaftskritische Moment des Boalschen Theateransatzes kommt in diesen Beispielen nicht mehr zum Tragen, sondern vor allem der Einsatz von Boals Methoden als Lerntechnik. Lediglich Feldhendler führt ein Beispiel an, in dem Romanistik-Studenten mit Elementen des Boalschen Ansatzes zu einer soziodramatischen Bearbeitung hingeführt werden (vgl. Feldhendler, 1992, 85). Wie Schramm-Bülow/Gipser thematisiert Feldhendler den Universitätsalltag der Studenten.

6.4 Handlungstraining in Konfliktsituationen – Forumtheater

Rainer Zech möchte das Forumtheater als Baustein der „gewerkschaftlichen Schulung und LehrerInnenfortbildung" (Zech, 1989, 3) einsetzen. Individuelle Konfliktfähigkeit ist die Basis für eine erfolgreiche Durchsetzung gewerkschaftlicher Interessen. Jedoch seien bei den politischen Akteuren Formen von Vermeidungen und Verdrängungen verbreitet, die für diese Zielrichtung hinderlich sind (vgl. ebd.). Handlungsfähigkeit im kritisch-psychologischen Sinne wird beschrieben als „die Fähigkeit der Subjekte, unter den Bedingungen der gesamtgesellschaftlichen Vermitteltheit ihrer individuellen Existenz in der Beteiligung am gesellschaftlichen Prozeß eine kollektive Verfügung über ihre Lebensbedingungen zu gewinnen" (Zech, 1989, 4). Individuelle Handlungsfähigkeit stelle den Versuch dar, an der gemeinsamen Kontrolle über die gesamtgesellschaftlichen Lebensbedingungen teilzuhaben. Politische Handlungsfähigkeit von Lehrern kann und darf im pädagogischen Bereich nicht bedeuten, Schüler politisch zu beeinflussen, sondern die Entscheidungs- und Handlungsfähigkeit der Schüler zu fördern und zu unterstützen (vgl. Zech, 1989, 5). Zech sieht das Lernziel „Politische Handlungsfähigkeit" in unserer bürgerlichkapitalistischen Gesellschaft als noch nicht erreicht. Die Herrschaftsverhältnisse unserer bürgerlichen Gesellschaft würden manipulativ-ideologisch reproduziert, indem die Gesellschaftsmitglieder sich den gegebenen Bedingungen freiwillig unterstellen würden und die Anpassungsleistungen die objektiv vorhandenen Möglichkeiten der Individuen meistens unterschreiten würden (vgl. Zech, 1989, 6). Eine Lehrkraft aber, die verlernt habe, ihre eigenen Möglichkeiten voll auszunutzen, wird nicht in der Lage sein, ihre Schülerinnnen und Schüler hierzu zu befähigen:

> *„ (...) Eine Lehrkraft, die nicht selbst in einer Weise entscheidungs- und handlungsfähig ist, daß sie ihre eigenen Konflikte angeht und bewältigt, ist nicht in der Lage, ihre Schülerinnen und Schüler darauf vorzubereiten, ihre gesellschaftliche Verantwortung in der Beteiligung an der gemeinsamen Verfügung über die allgemeinen Lebensbedingungen zu übernehmen. (...) Daß dies unter den bestehenden politisch-ökonomischen Verhältnissen noch lange nicht Realität ist, verweist auf die politische Verantwortung und Aufgabe der Pädagoginnen und Pädagogen, in der Unterrichtung und Erziehung ihrer Schülerinnen und Schüler hierzu ihren Beitrag zu leisten. Das wiederum impliziert notwendig das Sich-Einsetzen für die eigenen Interessen. (...) Eine gute Möglichkeit, Lernprozesse in dieser Richtung zu initiieren, scheinen uns die Methoden des „Theaters der Unterdrückten" von Augusto Boal zu sein, der selbst den Anspruch formuliert, mit seinen Theatermethoden, die zugleich Lernmethoden sind, dazu beizutragen, daß aus unbeteiligten Zuschauern der gesellschaftlichen Ereignisse aktive, eingreifende und verändernde, also handlungsfähige Subjekte werden." (Zech, 1989, 7/8).*

Den Gedanken von Augusto Boal, seine Theatertechniken für einen Einsatz in Pädagogik und Psychologie umzuarbeiten, hat Zech in der Arbeitsgemeinschaft „Gewerkschaftliche Schulung und LehrerInnenfortbildung" in die Praxis umgesetzt. Dabei ging es um Trainingsmöglichkeiten zur Entwicklung der für eine Veränderung der Lebensbedingungen notwendigen Handlungskompetenzen der Teilnehmer (vgl. Zech, 1989, 13). Als Ausgangspunkt und Einstieg in die gemeinsame Arbeit wurde eine Konfliktsituation vorgegeben, in der ein Lehrer (Herr Protago) aus politischen Gründen, die allerdings nicht deutlich werden sollen, vom Schulrektor an eine andere Schule abgeordnet wird. Dabei handelt der Rektor vordergründig nach Rechts- und

Verwaltungsvorschriften, trifft Vorentscheidungen und beeinflußt eine Gruppe im Kollegium, die ihn stützt. Im Laufe des Streitgesprächs zwischen Rektor, Prorektorin, den anderen Lehrern und Herrn Protago wird ersichtlich, daß der Rektor die Abordnung mit einem Sachzwang – an einer anderen Schule würde ein Deutschlehrer benötigt – begründet, obwohl es eigentlich um die politisch unbequeme Art von Protago geht. Was am Anfang der Gruppenarbeit allgemein bezweifelt wurde, daß nämlich der Protagonist, Herr Protago, in dieser ausweglosen Situation überhaupt noch Handlungsmöglichkeiten habe, stellte sich am Ende völlig anders heraus. Zwar konnte die Abordnung nicht verhindert werden, aber die eigentlichen Bewegründe für die Abordnung wurden durch die Verhaltensmodifikationen des Protagonisten im Forum aufgedeckt (vgl. Zech, 1989, 25). Diese Handlungsmöglichkeiten sind nicht aus der reinen Diskussion entstanden, sondern durch das Forum:

> *„Methodisch war an diesem Tag das Forum in seiner ganzen Qualität entfaltet. Es waren von Anfang an alle Spielenden ausgetauscht, und während des Tages wurden spontan immer wieder neue Personen in alle Rollen eingewechselt, so daß die Situation sich über den ganzen Tag entwickelte und in eskalierenden Stufen ausgespielt werden konnte. Inhaltlich versuchte Protago zunächst, seine/ihre Abordnung dadurch zu verhindern, daß er/sie sich einfach nicht auf die Strukturierung der Situation durch die anderen einließ und so tat, als sei er/sie gar nicht angesprochen. Im Gegenteil, er/sie gab die Fragen und Probleme beständig an die anderen zurück, die dadurch in ernste Legitimationsschwierigkeiten kamen, da sie ja die wahren Gründe nicht nennen wollten. Im Laufe der Zeit sahen sie sich gezwungen, doch die persönliche Beziehungsebene zu Protago ins Spiel zu bringen. Die bisher verdeckte Ebene des Konfliktes wurde jetzt deutlich sichtbar. Während des Tages gelang es dann sogar noch, diese „persönliche" Ebene zu politisieren, indem durch das Insistieren des Protagonisten ganz deutlich herausgespielt wurde, daß hinter den persönlichen Gründen für das Abschieben handfeste Differenzen mit seiner politischen Position innerhalb und außerhalb der Schule bestanden. Die Situation eskalierte durch einen gestärkten Protagonisten am Ende derart, daß alle Kontrahenten von ihm soweit in Verlegenheit gebracht wurden, daß der Schulleiter/ die Schulleiterin sich nur noch auf formale Rechte zurückziehen konnte und die Sitzung abrupt schloß. Die scheindemokratische Fassade brach damit vollends zusammen" (Zech, 1989, 24).*

Dieses Beispiel zeigt deutlich die erwünschte Intention des Verfassers, die Fassadenhaftigkeit der „Schuldemokratie" zu entlarven. Zechs Vorgehensweise, „manipulativ-ideologisch"[17] vorpräparierte Szenen als Einstieg anzubieten, erscheint als fragwürdige Herangehensweise. Nach meinem Verständnis von Boals Ansatz ist es sinnvoller, Szenenvorschläge der Teilnehmer aufzunehmen, zu sammeln und darauf aufzubauen.

6.5 Interventionen des Centre du Théâtre de l'Opprimé (CTO) innerhalb der Erwachsenenbildung

Sybille Herzog beschreibt ihre Erfahrungen über Werdegang und Arbeitsweise des CTO (Centre du Théâtre de l'Opprimé), das von Augusto Boal 1979 in Paris gegründet wurde. Während eines Praktikumsaufenthaltes 1995 hatte die Autorin Gelegenheit, sich einen fundierten Eindruck zu verschaffen (vgl. Herzog, 1997, 9). Ursprüngliches Ziel des in Paris gegründeten Theaterzentrums war die Verbreitung und Weiterentwicklung der Techniken Boals, wobei nach Möglichkeiten gesucht wurde, das Theater der Unterdrückten in der Sozialarbeit, der Erwachsenenbildung und der Schule anzuwenden. Um über die Aktionen des Zentrums zu informieren wurde beschlossen, eine periodisch erscheinende Informationszeitschrift herauszugeben (zunächst hieß die Zeitschrift Bulletin, mittlerweile Metaxis). Heute hat das CTO den Status

„Compagnie Théâtrale d 'action culturelle", untersteht dem französischen *Ministère de la culture* und wird von ihm subventioniert (vgl. Herzog, 1997, 62). Vier verschiedene Richtungen verfolgt das CTO: Die Suche nach neuen Techniken und Methoden, die Kreation von Forumszenen, die Intervention bei anderen Organisationen und die Fortbildung für Personen, die mit Techniken des Theaters der Unterdrückten arbeiten möchten. Anhand der Schilderungen von Sybille Herzog, werde

---

[17] Ich halte mich hier an einen von Zech zuvor ins Spiel gebrachten Begriff

ich die exemplarisch aufgeführten Workshops und Fortbildungsmaßnahmen im Bereich der Erwachsenenbildung skizzieren.

Im Rahmen einer Wiedereingliederungsmaßnahme für Langzeitarbeitslose war das CTO 1993 mit einem Workshop beteiligt. Die Teilnehmer des Workshops sollten ihre aktuelle Problematik und anschließend ihre Zukunftswünsche mit Hilfe des Statuen- und Bildertheaters darstellen (vgl. Herzog, 1997, 77). Ziel war es vor allem, das Selbstbewußtsein der Langzeitarbeitslosen zu stärken und ihnen ihre eigenen kreativen und kommunikativen Fähigkeiten wieder bewußt zu machen. Dabei sollte die persönliche Situation „auf dem Hintergrund einer sozialen und kollektiven Problematik" betrachtet werden. Handlungsmöglichkeiten (individuell oder kollektiv) wurden auf ihre Realisierbarkeit hin untersucht. Die in dem Workshop entstandenen Forumszenen wurden in den Wohnvierteln der Beteiligten öffentlich aufgeführt und machten so auf die Problematik der Langzeitarbeitslosigkeit aufmerksam (vgl. ebd.). Ein zusätzlicher Nebeneffekt war die Diskussion mit Anwohnern und anwesenden Mitarbeitern der Stadtverwaltung über die Arbeitsmarktsituation.

Ein weiteres Projekt in der Erwachsenenbildung war eine Fortbildungsmaßnahme für Sozialarbeiter, in der das Theater der Unterdrückten als ein Mittel angesehen wurde, „sich schwierig zu erreichenden gesellschaftlichen Schichten zu nähern" (Breton zitiert nach Herzog, 1997, 78). Die Sozialarbeiter sollten mit Hilfe des Theaters der Unterdrückten, Personen und Gruppen in die Lage versetzen, ihre eigene Kapazität für soziales Handeln wiederzuentdecken (vgl. Herzog, 1997, 79). Auch in der Lehrerbildung bot das CTO Veranstaltungen an. So erwähnt Herzog das Beispiel einer Lehrerin, die nicht wußte, wie sie sich einem marokkanischen Schüler gegenüber verhalten sollte, der sehr ungezogen war und immer, wenn sie ihn ermahnte, vorwarf, rassistisch zu sein und etwas gegen Ausländer zu haben. In einer Forumszene übernahmen die anderen Teilnehmer die Rollen ihrer Schüler und es wurden die unterschiedlichsten Handlungsalternativen der Lehrerin im Forum erprobt. Nachdem unter den Lehrern ein heftiger Streit entstand, welches nun eine realistische oder effektive Methode sei, die Klasse zur Ruhe zu bringen, präsentierte der Seminarleiter seine Lösung des Problems. Er rief die Teilnehmer in der Rolle der Schüler auf, sich in einen Kreis zu setzen und lud sie zu einer Gesprächsrunde ein (alle bisherigen Interventionen blieben erfolglos). Herzog kritisiert hier den autoritären Zug des Spielleiters, der für einen gemeinsamen Lernprozeß hinderlich war (vgl. Herzog, 1997, 88).

„Was der Spielleiter damit erreicht hat, war, den Lehrern ihre eigene Unfähigkeit der Problemlösung vor Augen zu führen, und nicht, die von Boal geforderte Eigenaktivität anzuregen" (Herzog, 1997, 88).

Auch die Möglichkeit, das Theater der Unterdrückten als Supervisionsmethode in klientenzentrierten Berufen anzuwenden, wird von Herzog im Rahmen eines Workshops erwähnt. Dabei sollen immer wiederkehrende Probleme im Berufsleben erfaßt werden und Bearbeitungsstrategien entwickelt werden (vgl. Herzog, 1997, 96). Herzog beschreibt eine Szene eines Workshops:

„Die Protagonistin sagte zu Beginn, daß sie durch diese Szene gerne Möglichkeiten sehen würde, mit einer bestimmten Persönlichkeit umzugehen, mit der sie Schwierigkeiten habe, nämlich Autoritätspersonen, die ihr autoritäres Verhalten kaschieren, indem sie sich den Untergebenen gegenüber als gleichwertig darstellten, aber in Wirklichkeit ganz gezielt ihre Überlegenheit benutzten. Die Person, um die es ging, war ihr Vorgesetzter. (...) Die dargestellte Situation beschrieb eine Zusammenkunft aller Mitarbeiter und dem Chef, bei der sie zum wiederholten Male versuchte, dem Chef einen von ihr zusammen mit anderen Kollegen formulierten Arbeitsvertrag vorzulegen, in dem eine Absicherung der Beschäftigten im Krankheitsfall sowie bezahlter Urlaub enthalten war. Zwei anwesende Mitarbeiterinnen fielen ihr direkt in den Rücken, indem sie sie vor der ganzen Belegschaft aufforderten, nicht schon wieder mit den Arbeitsverträgen anzufangen, man hätte im Moment Wichtigeres zu besprechen. Der Chef sah sich das Papier kurz an und verkündete, daß er sehr gerne allen Forderungen nachgeben würde, weil ihm auch an der Zufriedenheit seiner Untergebenen gelegen sei, daß es zur Zeit aber einen finanziellen Engpaß gebe und deshalb alle Honorarkräfte (und nur die Honorarkräfte, die Festangestellten nicht) auf ein Drittel ihrer monatlichen Arbeitsstunden verzichten müßten, bis der Engpaß überwunden sei. Er verkündete dies unter der Versicherung seines größten Bedauerns und der Bekundung seiner Solidarität sowie der Aufforderung an alle Anwesenden, sich mit ihren Ideen und mit ih-

125

rer Energie dafür einzusetzen, daß das Haus (soziale Einrichtung) gut besucht sei und es in Zukunft nicht mehr zu solchen Engpässen kommen würde.(...) Nachdem die Teilnehmerin den Sachverhalt dargestellt hatte, wurde die Protagonistin aufgefordert, die Szene mit den beteiligten Personen als Bild darzustellen. (...) Danach wurden die übrigen Mitglieder des Workshops aufgefordert, das Verhalten der Protagonistin, so wie sie es erlebt hatten, als Bilder darzustellen. Daraufhin sollte die Protagonistin (...) zwei ihr sehr gut bekannte Bilder und ein völlig fremdes Bild aussuchen und in der Haltung des jeweiligen Bildes die Szene noch einmal durchspielen. Das erste dargestellte Bild war die Protagonistin, wie sie mit hängendem Kopf und einem Abwinken dem Chef, ohne ihn anzusehen, das Papier hinhielt. Das zweite Bild stellte sie dar, wie sie versucht, „mit dem Kopf durch die Wand zu gehen" und immer wieder monoton das Wort „Arbeitsvertrag" vor sich hin sagte. Das dritte Bild stellte sie als kleines Baby dar, daß am Daumen lutschte und hilflos zu dem Chef hinsah. Dann wurde die Szene als Forumtheater gespielt und die anderen Beteiligten konnten die Protagonistin ersetzen und eigene Verhaltensvorschläge einbringen. (...), doch keinem gelang es, den Chef zu überzeugen, aber es gelang der Protagonistin, ihr eigenes Verhalten gegenüber dem Chef zu ändern und ihm in dem Bewußtsein gegenüberzutreten, ein Recht auf das von ihr geforderte zu haben und nicht als Bittstellerin zu kommen" (Herzog, 1997, 98/99).

Auch eine Fortführung der Forumtheaterszene (die offensichtlich ohne Konfliktlösung endet) in das Legislative Theater wäre hier denkbar (Gehaltsforderungen und Urlaubsbestimmungen sollen gesetzlich festgelegt werden). Die hier beschriebenen Beispiele aus der Arbeit des CTO innerhalb der Erwachsenenbildung arbeiten mit dem Statuen und –Forumtheater und lassen drei unterschiedliche Zielsetzungen erkennen: Zum einen die Konfliktlösung in beruflichen Situationen (Lehrerfortbildung, Supervision), die Stärkung von Selbstbewußtsein und Eigenaktivität Unterprivilegierter wie z.B. den Langzeitarbeitslosen und die Erleichterung von Berufstätigen in sozialen Berufen mit Hilfe des Theaters der Unterdrückten, erste Kontakte mit z.B. Obdachlosen aufzunehmen.

7 Das Theater der Unterdrückten in der theaterpädagogischen Diskussion

Das Theater der Unterdrückten soll in diesem Kapitel eingebunden werden in die allgemeine theaterpädagogische Entwicklung und Diskussion. Dabei wird immer wieder deutlich, daß sich Boals Theaterkonzept vornehmlich zwischen dem psychosozialen und politischen Aspekt hin- und her bewegt. Ob und inwieweit ein politischer Anspruch des Boalschen Theaterkonzeptes sich einhalten lässt, wird genauso diskutiert wie die Frage inwieweit die neuere Betonung der ästhetischen Dimension des Theaterspielens sich auf Bedeutung und Methoden des Theaters der Unterdrückten auswirkt.

7.1 Boals Ansatz innerhalb der Spiel- und Theaterpädagogik seit Anfang der 70er Jahre bis heute

Anfang der 70er Jahre wird die Theaterpädagogik als Element politisch-ästhetischer Bildung betrachtet. Dabei wird ihre Funktion für die politische Bildung erörtert und in Anlehnung an von Hentigs Ausführungen zur „Ästhetischen Erziehung im politischen Zeitalter" (1967) ihre gesellschaftspolitische Funktion beschrieben (vgl. Hentschel, 1996, 101). Die sich von der Musischen Bildung distanzierende ästhetische Bildung zielt auf Wahrnehmungsfähigkeit, Sensibilitäts- und Kreativitätsförderung, was sich mit dem Anstreben demokratischer Grunddtugenden verbinden soll. Damit verbindet sich ästhetische und politische Bildung. Wobei Spiel und Theater – im Gegensatz zu denjenigen Künsten, die sich der kommunikativen Funktion durch die Hinwendung zu nicht-realistischen Formen weitgehend entziehen – besonders geeignet erscheinen, politische Bildung zu unterstützen (vgl. Hentschel, 1996, 102). Hentschel bezieht sich auf Messerschmids Äußerung, daß das „Modell einer zukünftigen Gesellschaft als Utopie wie als Gegenutopie" (Messerschmid, 1970, 150) im Spiel vorweggenommen werden könne und gesellschaftliches Verhalten und soziale Beziehungen sich spielerisch untersuchen ließen. Damit schaffe das Spiel einen ästhetischen Zugang zu gesellschaftlichen und politischen Fragen und biete eine Alternative zur wissenschaftlich diskursiven Herangehensweise (vgl. Hentschel, 1996, 102).

Müllers Ansatz, der sich kritisch mit dem Schulspiel auseinandersetzt, betont die Möglichkeit des Trainings kreativer Gruppenprozesse: „die in theatralischen Gruppenprozessen trainierte kreative Kraft verhält sich in jeder anderen kollektiven Tätigkeit ebenso qualitätssteigernd" (Giffei zitiert nach Hentschel, 1996, 102).

Eine besondere Betonung von sozialen und politischen Intentionen herrscht im Konzept der Interaktionspädagogik vor. Dieses Konzept zieht die interaktionistische Rollentheorie (Goffman, Habermas) zur Analyse von Theaterprozessen heran (vgl. Hentschel, 1996, 105). Dabei wird die „gesellschaftliche Qualifikation des Individuums in der rollenbezogenen Interaktion stärker gewichtet als die Ausbildung theatraler Fähigkeiten" (ebd.). Im theatralen Prozess werden modellhaft die Beziehungen der gesellschaftlich Handelnden aufgezeigt (vgl. ebd.). Die interaktionistisch orientierte Spiel- und Theaterpädagogik möchte die erforderlichen sozialen Grundqualifikationen (Empathie, Rollendistanz, Ambiguitätstoleranz und Identitätsdarstellung) fördern, die auch einen wesentlichen Bestandteil des „sozialen Lernens" darstellen (vgl. Weintz, 1998, 280). Für Nickel nutzt die Interaktionspädagogik, die die Ich-Autonomie des einzelnen stärken soll, „den Spielraum Theater, um Fähigkeiten für den einzelnen und Modelle für die Gesellschaft zu entwickeln" (Nickel, 1972, 58). Spiel- und Theaterpädagogik soll nach diesem Verständnis angemessenes bzw. non-konformes Kommunikations- und Rollenverhalten im Alltag fördern und kann auch im Rahmen einer Sozialerziehung verstanden werden (vgl. Weintz, 1998, 280). Dabei wird an den von Weintz kurz erläuterten Beispielen ersichtlich, daß eine sozial-kommunikative Zielsetzung sich in dieser Zeit oft mit einer politischen verbindet. Augusto Boals Theater der Unterdrückten wird von Weintz als „international bedeutender Ansatz" beschrieben, der „allerdings erst gegen Ende der 70er Jahre, als die Welle sozial und politisch motivierter Theaterarbeit ihren Höhepunkt hatte" in

128

der BRD auf großes Interesse stieß. Die Methoden des Theaters der Unterdrückten ließen sich trefflich in der pädagogischen und politischen Arbeit einsetzen (Weintz in: Boal, 1999, 7). Neuroth bezieht sich in ihrer pädagogischen Zuordnung des Theaters der Unterdrückten unter anderem auf den Interaktionismus, der sich die Erkenntnis zunutze macht, daß „Spiel und Theater eine Form menschlicher Interaktion darstellen, also auch als Übungsfeld dienen können" (Neuroth, 1994, 32). Dabei geht es um die Einübung sozialer Kompetenzen und Fähigkeiten wie Empathie, Ambiguitätstoleranz und Rollendistanz.(vgl. ebd.).

Als Anfang/Mitte der 80er Jahre eine Verlagerung der Perspektive vom Sozialen auf das Subjekt stattfindet sowie die Theaterpädagogik durch Impulse aus verschiedenen Therapieformen beeinflusst wird, geschieht eine Umdefinition des Begriffs vom sozialen Lernen zugunsten eines stärkeren Adressaten- und Subjektbezugs (vgl. Weintz, 1998, 282). Nun steht die quasi-therapeutische, subjektive Auseinandersetzung des einzelnen Spielers mit der eigenen Biographie im Vordergrund (vgl. ebd.). Weintz bettet in diese allgemeine Entwicklung den Verlauf des Theaters der Unterdrückten ein:

„Selbst bei A. Boal, dem – mit seinem Programm eines 'Theaters der Unterdrückten' - jahrelangen Exponenten eines politisch-didaktischen Theaters, setzte sich diese Neuorientierung seit Mitte der 80er Jahre durch: Bedingt durch seinen langjährigen Europa-Aufenthalt kommt er zumindest für den europäischen Raum und die hier wirksamen subtileren 'Unterdrückungsmechanismen' zu einer Revision seiner Ziele und Methoden. Er will nun mit seiner Theaterarbeit zunächst am individuellen Einzelproblem ansetzen und auf eine Stärkung des Spieler-Subjekts zielen, ohne allerdings die gesellschaftlichen Beschränkungen dabei aus den Augen zu verlieren (vgl. Neuroth, 1994, 66f). Diese Trendwende wird nicht nur durch Boals Engagement im medizinisch-therapeutischen Bereich, sondern auch durch die Überarbeitung seines Theaterkonzepts deutlich. Demnach widmet er sich nun verstärkt „Unterdrückungsformen ... die mir neu waren: Einsamkeit, die Unfähigkeit zur Kommunikation mit anderen und die Angst vor Leere ... Ich beschloß, mit diesen neuen Unterdrückungen zu arbeiten und sie auch als solche anzusehen (Boal 1995, 8)" (Weintz, 1998, 282/283).

Entgegen seiner früheren Sichtweise spricht Boal nun von einer Überlagerung der Sphären von Theater und Therapie. Theater sei als „Schlüssel zur Lösung aus seelischen Verstrickungen" zu betrachten, indem „der jeweilige Protagonist im Spiel eine Verwandlung vom passiven Objekt bestimmter Strukturen oder Prozesse zum aktiven Subjekt erlebt" (Weintz in: Boal, 1999, 9/10).

Die Kritik an einer interaktionistisch ausgerichteten Spiel- und Theaterpädagogik ist die, daß sie den Eigenwert des Theaters, die spezifischen Gestaltungsweisen und die damit verbundenen Erfahrungen vernachlässige. Auch die beschriebene Umorientierung „vom sozialen Makrokosmos auf den Intim- oder Innenraum des agierenden Subjekts" (Weintz, 1998, 283) zu Beginn der 80er Jahre rückt den Eigensinn der Kunstform Theater noch nicht ins Bewusstsein. Daher wird der Wunsch, daß die Theaterpädagogik sich auf das Ästhetisch-Theatralische besinnen soll seit Mitte der 80er Jahre laut. Dieser Trend verstärkt sich Anfang der 90er Jahre und ist beeinflusst durch den postmodernen Ästhetikdiskurs auch innerhalb der Eriehungswissenschaften. Die Folge ist eine Abkehr und Hinterfragung von interaktionistischen, politisch-emanzipatorischen und quasi-therapeutischen Konzepten (vgl. Weintz, 1998, 284). Nach Hentschel hat diese Entwicklung auch ihre Ursache „in der nicht mehr zu übersehenden praktischen Folgenlosigkeit einer alles umfassenden Ideologiekritik" (Hentschel, 1996, 51) und der Einsicht in die begrenzten Möglichkeiten, mittels rationaler Aufklärung erzieherisch auf gesellschaftliche Emanzipationsprozesse einwirken zu können (vgl. Lenzen, 1989, 1110). Nach Weintz vollzieht sich durch den „allgemeinen Kunst- und Kulturboom" nun auch in der Theaterpädagogik eine „Paradigmenwende" (Weintz, 1998, 284), die er wie folgt beschreibt:

> *„Nun rücken die spezifischen künstlerischen Verfahren des Theaters und die damit in Verbindung gebrachten besonderen Erfahrungen für die tätigen Subjekte – zumindest programmatisch – in den Mittelpunkt. Allerdings wird diese Forderung in der Regel nur formelhaft in den Raum gestellt und die Voraussetzungen, Folgen, Chancen sowie Grenzen einer stärkeren Theaterorientierung in der Theaterpädagogik selten genauer konkretisiert. Eine Son-*

derposition nehmen Ebert-Paris/Paris ein, die nicht nur vehement die Abkehr vom politischen Theater fordern, sondern auch das komplexe Phänomen des Ästhetischen weitgehend auf Elemente Phantasie und Spaß reduzieren und dabei von jedweder pädagogischen Anleitung/Begleitung absehen wollen" (Weintz, 1998, 284).

Die „Bildungskonzeption" des Bundesverbandes Theaterpädagogik (Ruping/Schneider, 1994) und das im Auftrag der Bundesarbeitsgemeinschaft Spiel und Theater e.V. erarbeitete „Kerncurriculum Theaterpädagogik" (Hentschel/Koch 1995) versuchen einen Rahmen für zukünftige Studienordnungen im Bereich Theaterpädagogik vorzuschlagen. Dabei wird deutlich, daß sich die Tendenz abzeichnet „theaterpädagogische Arbeit aus ihrer Rolle als Zulieferer für die unterschiedlichsten pädagogischen, moralischen oder politischen Zielsetzungen zu befreien und sich auf die Möglichkeiten des Mediums Theater zu besinnen" (Hentschel, 1996, 121). Vaßen konstatiert ebenfalls den Trend in der Theaterpädagogik, künstlerische Prozese zu betonen (vgl. Vaßen in: Belgrad (Hrsg.), 1997, 62). Nach seiner Auffasung habe die „Konzentration auf gesellschaftskritische Themen, auf Wissensvermittlung und politische Aufklärung nachgelassen" (Vaßen in: Belgrad (Hg.), 1997, 63). Bei der Betrachtung von Brecht z.B. sei es nun „weniger der aufklärerische Pädagoge als der Vergnügen bereitende Künstler" (ebd.) der im Mittelpunkt des Interesses stehe.

Demgegenüber scheint mir die Auffassung Kochs, Theater-Spiel als szenische Sozialforschung zu betrachten noch weit mehr von emanzipatorischen oder gar politischen Zielen geleitet zu sein (vgl. Koch in: Belgrad, 1997, 81 ff). Ihm geht es um die künstlerische Erforschung der Alltagsmilieus, wobei er offene Formen des Theaters zwischen „cultural studies" und Kunst ansiedelt. Zwar werden keine politischen oder interaktionistisch ausgerichteten Lernziele mehr formuliert, jedoch berührt die starke Orientierung an den Alltagserfahrungen der Laienspieler und der Versuch, Theater-Spiel als deren Forschungsinstrument zu benutzen, viel mehr das Interesse eines „forschenden Subjektes", seine gesellschaftlich-politische sowie soziale Situation zu durchleuchten. In der Theaterarbeit Armand Gattis (siehe Kap. 2) kommt es zu einer

131

eindeutigen Verschränkung ästhetischer Darstellungsformen und Vorgehensweisen mit einer politisch orientierten Grundhaltung. Das ästhetische Ausgangsmaterial von Gattis Inszenierungen bildet sich aus Alltagserfahrungen und gesellschaftlich-relevanten Themen (z.b. Agrarreform der EG) der Laienspieler.

Abgesehen von diesen Beispielen aber skizziert Weintz einen quantitativen Über-hang von Forderungen, Theaterpädagogik solle das Ästhetische wiederentdecken, wobei er eine „genauere Bestimmung des Ästhetischen" vermißt sowie „eine Ein-schätzung des Verhältnisses zum Psychosozialen und Pädagogischen" als recht vage empfindet (Weintz, 1998, 288). Lediglich Hentschel (1996) würde in ihrer Disserta-tion „Theaterspielen als ästhetische Bildung" unter der Berücksichtigung der aktuel-len philosophischen und pädagogischen Ästhetikdabatte eine genauere Bestimmung des Begriffs der ästhetischen Bildung vornehmen (ebd.). Als bedenklich beschreibt Weintz ein „reduziertes Verständnis des Ästhetischen", das er als eine folgenlose, dem „bloßen Entertainment verpflichtete Kunst" einschätzt (Weintz, 1998, 288). Diese Gefahr sieht er bei Ebert-Paris/Paris gegeben:

> *„Das Pendel droht bei Ebert-Paris/Paris in die andere Richtung zu schlagen, da hier das Bild einer Theaterpädagogik entworfen wird, die sich nicht mehr als Pädagogik begreift, sondern nur noch dem Spaß der Akteure verpflichtet ist und die möglichen Folgen des Spiels (wie Erweiterung des eigenen Selbst-konzepts im Spiegel von Gruppe und Publikum sowie Interaktion/Soziometrie innerhalb der spielenden Gruppe) außer acht läßt.(...) Vielleicht haben die früheren, möglicherweise überzogenen und uneinlösbaren politischen Erwar-tungen der Verfasser an ihre damalige Theaterarbeit zu der heutigen – wie-derum sehr pointierten – Position geführt" (Weintz, 1998, 288).*

Die Frage stellt sich nun, ob und inwieweit sich auch bei Boals Theateransatz eine Hinwendung zum Theater als Kunstform feststellen läßt. Auf die Frage inwieweit sich sein Konzept in den letzten Jahren wesentlich verändert habe, gibt Boal folgen-de Antwort:

„Ich denke, mein Theateransatz wurde sicherlich erweitert, aber die grundlegenden Prinzipien sind dieselben geblieben. Am Anfang gab es nur das 'Unsichtbare Theater', das 'Zeitungstheater' und das Forum-Theater'. Später kamen der 'Regenbogen der Wünsche' und schließlich das 'Legislative Theater' hinzu, aber die Basis ist immer noch dieselbe" (Boal in: Korrespondenzen, 1999, 5).

Zwar bleibt die Überwindung von Repression und Anpassung Boals zentrales Thema, nach meiner Einschätzung kommt es aber auch bei Boal zu einer gewissen „ästhetischen" Orientierung. Zum einen legt er in den Grundlagen seines Theaterbegriffs seine Position zum Theater als Kunst- und Therapieform systematisch dar und kommt zu dem Schluß, daß sich sein Theater zwar ästhetischer Mittel bedient, aber - im Gegensatz zum konventionellen Theater – konsequent das therapeutische Potential des Spiels nutzen will (Weintz in: Boal, 1999, 9). Zumindest erläutert er hierbei die ästhetische Dimension seines Theaters. Auch die Bedeutung von Boals Statuentheater- und Bildertheater in bezug auf dessen künstlerischen Bezug scheint mir bislang vernachlässigt zu sein. Schließlich wird hier zunächst auf die Darstellung menschlicher Interaktion sowie sprachlicher Kommunikation verzichtet. Die rein assoziative Darstellung eines Themas in Form von Körperstatuen und Bildern stellt eine künstlerische Vorgehensweise dar. Darüberhinaus sind die neueren Techniken Boals auch geeignet für die Schauspielausbildung und das konventionelle Theater. „So kann man beispielsweise mit ihrer Hilfe beide Seiten von Rollenarbeit vertiefen, nämlich die innere Identifikation oder die äußere Darstellung" (Ruping/Weintz in: Korrespondenzen, 1999, 8). Bei seiner Arbeit mit der Royal Shakespeare Company hat Boal seine neueren Techniken angewandt, wobei sich z.B. mit Hilfe der prospektiven Techniken wie „Bild der Bilder" oder „Kaleidoskopbild" die Körpersprache trainiert und die Darstellung verbessert wird (ebd.). Anhand der introspektiven Techniken wie „Innerer Monolog", „Regenbogen der Wünsche", „Zirkel der Rituale" oder besonders „Polizist im Kopf" kann die Einfühlung in eine Rolle geübt werden (Ruping/Weintz in: Korrespondenzen, 1999, 8). In seinen theoretischen Ausführun-

133

gen über das Theater beschreibt er den „ästhetischen Raum" (Boal, 1999, 27) als eine Zusammensetzung aus den Konstituenten: Zwei Menschen, eine Leidenschaft und eine Bühne. In seiner Definition von Theater bezieht sich Boal auf *Lope de Vega*, für den das Theater auf der leidenschaftlichen Auseinandersetzung zweier Menschen auf der Bühne basiert (vgl. ebd.). Theater beschreibe Konflikte, Widersprüche, Konfrontationen und Herausforderungen wobei die Dramatik in der Variation und Dynamik dieser widerstreitenden Kräfte liegt. Monologe sind dieser Definition nach erst dann Theater, „wenn der Anatgonist, der Gegenspieler – obwohl abwesend – indirekt anwesend ist" (ebd.). Weiter beschreibt Boal die ästhetische Funktion dieses Theaters als nicht bindungslos zu anderen Intentionen:

> *„ Unverzichtbar ist die Leidenschaft: Theater als Kunstform zielt nicht auf Gemeinplätze oder wertlose Trivialitäten. Es besteht in Verbindung mit Handlungen, die den Charakteren etwas bedeuten und mit Situationen, in denen Menschen ihr Leben, ihre Gefühle, ihre Moral und ihren politischen Standpunkt, also ihre Leidenschaften offenbaren. Was ist Leidenschaft? Es ist das Gefühl, das wir für jemanden oder für eine Idee entwickeln, die wir höher schätzen als unser eigenes Leben" (Boal, 1999, 27).*

Insofern bestätigt er das Theater als Kunstform und gleichzeitig bindet er den Kunstbegriff an moralische Standpunkte, politische Motive und an die zuvor zitierte Leidenschaft, die für das Theater unverzichtbar ist.

Koch sieht die Leistungsfähigkeit des Theaterkonzepts von Augusto Boal darin, das es die „subjektiven und politischen sowie historischen Lebenserfahrungen von Subjekten ernst nimmt und aus ihrem Material versucht, Stücke, Verdichtungen vorzunehmen" (Koch in: Ruping (Hg.), 1993, 318). Wenn es zu einer virtuosen Gestaltung der Szenen kommt, dann mögen sie im besten Falle „die Brisanz und Widersprüchlichkeit sowie literarische Form der Brechtschen Lehrstücke erreichen" (ebd.). Boals Theater der Unterdrückten scheint Koch geeignet zu sein für „Interventionen und Erfahrungs-Exkursionen im Feld der sozialen Wahrnehmung und des sozialen Alltags" (ebd., 319). So kann man sagen, daß Koch Brechts Lehrstücke als ästhetisch

134

„hochwertiger" einschätzt als Boals Szenen, die sich spontan aus der Theaterarbeit mit Laien ergeben.

Die Hinwendung zum Theater als Kunstform bleibt bei Boal letztendlich weniger wichtig als der Wunsch mit Hilfe seines Theaters, repressive Situationen zu überwinden. Die Techniken mit denen er mit professionellen Schauspielern arbeitet, um z.b. Bühnencharaktere besser auszubilden, sind für sich genommen theatralische Techniken, die Einfühlung und Körperausdruck verbessern können. Bei einer anderen Zielgruppe jedoch werden diese Techniken unter anderen Gesichtspunkten als schauspieltechnischen eingesetzt:

> „(...). Ich denke allerdings, daß das Wichtigste der Mensch ist und der steht ja auch beim Theater im Zentrum. Manchmal wird der Akzent mehr auf der Politik bzw. der gesellschaftlichen Perspektive liegen, manchmal eher auf der psychologischen oder pädagogischen Blickrichtung. Für alle Ansätze lassen sich die Techniken des Theaters der Unterdrückten nutzen" (Boal, 1999, 158).

7.2   Boals politischer Anspruch in Europa

Einer der häufigsten Vorwürfe gegenüber dem Theater der Unterdrückten ist der, daß „eine Ästhetik des Widerstandes der Dritten Welt nicht auf ein Land der Ersten Welt übertragen werden könne" (Neuroth, 1994, 115). Dabei gelten Boals Methoden schon längst nicht mehr als lateinamerikanisch, da viele von ihnen in Europa entstanden. Neuroth betrachtet die politische Bedeutsamkeit als fragwürdig, da die sozialen Verhältnisse in Europa als weniger bedrückend bewertet werden können (vgl. Neuroth, 1994, 115). Durch die Verlagerung des Schwerpunktes auf psychosoziale Aspekte in Europa, was in den neueren Techniken wie „Polizist-im-Kopf" oder „Regenbogen-der-Wünsche" zum Ausdruck kommt, wird die verinnerlichte Unterdrückung des Menschen thematisiert. Die Strukturen und Verhältnisse unter denen Menschen leiden sind in Europa subtiler und schwerer zu durchschauen als in Lateinamerika, dennoch handelt es sich ebenfalls um Unterdrückungsmechanismen. Für Neu-

135

roth hat das Theater der Unterdrückten überall dort seine Berechtigung, „wo Menschen unter bestehenden Strukturen und Verhältnissen leiden" (Neuroth, 1994, 116). Jedoch sind die "marxistisch anmutenden Parolen" seiner frühen Phase, die Aufrufe Boals „zum Kampf, zu Revolution und Widerstand" im europäischen Kontext befremdlich (ebd.). Und Neuroth argumentiert weiter:

> *„Zum einen wird die Leistung des Theaters der Unterdrückten gewürdigt, zum anderen aber auch die Differenz zwischen Anspruch und Realität vermerkt. Es muß positiv bewertet werden, daß das Theater der Unterdrückten konkrete Veränderungen im privaten Bereich, in Partnerschaft, Familie und Freundeskreis möglich macht; die Beurteilung der Veränderungen außerhalb dieses privaten Bereiches, die Veränderung der „Zentren der Macht" fällt jedoch negativ aus, orientiert man seine Beurteilung am politischen Anspruch Boals. Entscheidend ist, ob man an die verändernde Kraft einzelner im gesamtgesellschaftlichen Gefüge glaubt oder ohnehin eine resignative Haltung nach dem Motto: „Ich kann ja alleine doch nichts ausrichten" einnimmt. Der Zweifel an der politischen Wirksamkeit des Theaters der Unterdrückten ist ein Zweifel an der Macht des Subjektes (...)" (Neuroth, 1994, 116).*

Anstelle eines allzu hohen Anspruchs nach politischer Veränderung tritt das Theater der Unterdrückten im Feld von „psychosozialer Hilfestellung, emanzipatorischer Bildung und politischem Protest" (Neuroth, 1994, 117) auf. Da nach Neuroth die „Zeit der politischen Ideale" vorbei ist, wäre es sinnvoll das Augenmerk auf den „Gebrauchswert des Theaters der Unterdrückten" zu lenken (Neuroth, 1994, 118). So eigne sich das Theater der Unterdrückten zur Öffentlichkeitsarbeit, zum Verhaltenstraining, zum Training argumentativer Kommunikation, zum Erwerb von Selbstbehauptungskompetenzen sowie rhetorischer und körperlicher Ausdrucksfähigkeit, zur Konfliktaufarbeitung, zur Vorbereitung auf eine Situation und zur Suche nach neuen Verhaltensstrategien (vgl. Neuroth, 1994, 118). Sicherlich hat Neuroth Recht, wenn sie auf den veränderten gesellschaftlichen Kontext in Europa hinweist. Es ist aber nicht folgerichtig deshalb den politischen Anspruch Boals zugunsten eines stark psychosozial ausgerichteten Zuges zurückzunehmen. Der Anspruch, politisch etwas zu verändern und der Anspruch die Selbstbehauptungskompetenzen des Individuums zu stärken, müssen einander nicht ausschließen. Vielmehr lassen sich im Theater der Unterdrückten politische Zielsetzungen als Rahmen und Stärkung des Selbstbewußtseins und der Handlungskompetenz des Einzelnen miteinander verbinden. Wie z.b. Schramm-Bülow und Gipser mit einer bestimmten politischen Zielrichtung vorgehen - Veränderung des Hochschulalltags -, die man mit Hilfe der Methoden des Theaters der Unterdrückten umzusetzen versucht. Sie dienen in diesem Fall als „soziologisches Meßinstrument" und der Bewußtmachung und Darstellung von strukturellen Machtverhältnissen und deren Auswirkungen auf die sozialen Beziehungen der Hochschullehrer und Studenten zueinander sowie deren Veränderung. Wenn der Ort Hochschule auch als „Zentrum der Macht" (Neuroth, 1994, 116) betrachtet werden kann, so fällt die Beurteilung der Veränderung dieser „Machtzentren" entgegen Neuroths Ansicht nicht negativ aus.

7.3 Möglichkeiten und Grenzen des Theaters der Unterdrückten

Drei Dimensionen sind dem Theatralischen eigen: eine künstlerische, eine subjektive und eine sozial-interaktive. Der Kunstbezug fordert den Akteur auf, „das Ausgangsmaterial mittels Verfremdung, Verdichtung und Abstrahierung in eine szenisch-expressive Form zu bringen" (Weintz, 1998, 173). Dabei soll die Vielzahl der Bilder aus der eigenen Perspektive heraus geordnet werden und „zu einer universalen Deutung (...) gelangen" (ebd.). Der Subjektbezug des Theatralischen liegt in der Selbsterforschung von Spieler und Zuschauer, im Aufspüren biographisch bedingter Erfahrungen, in den spezifisch körperlich-seelischen Eigenheiten sowie ungewohnter Ausdrucks- und Handlungsmöglichkeiten begründet (vgl. Weintz, 1998, 173). In den Themen und Leitideen zeigt sich der Sozial- und Realbezug sowie in der Adaption oder Transzendierung gesellschaftlicher Prägungen (vgl. Weintz, 1998, 174). Wobei sich in der Studie von Weintz zeigt, daß im nicht-professionellen Theater die subjektive und soziale Dimension des Theatralischen dominiert. Häufig sei eine Verschiebung innerhalb des anskizzierten „Kräftedreiecks" zugunsten einer Dimension festzustellen, „ohne daß die Qualität des Theaters per se darunter leiden muß" (ebd.). Wird der Subjektbezug zu extrem betont, so reduziere sich die Darstellung - wie im Psychodrama - auf Selbsterforschung und Selbstdarstellung und schließe damit eine soziale oder künstlerische Formung des Materials aus. Die sinnvolle Überbetonung des Sozialbezugs liegt nach Weintz bei Theaterformen vor, die die Interaktion mit dem Publikum (Animationstheater) oder soziale und politische Aspekte wie bei Boals Forumtheater betonen. Gerade beim sozial oder politisch motivierten Theater (wie dem Theater der Unterdrückten) besteht aber die Gefahr, daß die künstlerische Form zu anspruchslos gerät (vgl. Weintz, 1998, 176):

> „(...), da das Spiel sich in übergroßer Nähe zur Realität entfaltet, sich zu bloßem Konversations-/Diskussionstheater entwickelt, die jeweilige Botschaft penetrant belehrend vorgetragen wird und das Bühnengeschehen nicht hinreichend gestaltet/choreographiert ist" (Weintz, 1998, 176).

Angesichts der unter Kap. 7.2. skizzierten Entwicklung der Theaterpädagogik hin zu einer stärkeren Betonung des Kunstbezugs, läuft das Theater der Unterdrückten Gefahr, unattraktiv zu werden. Im allgemeinen Kunst -und Kulturboom, in einer „Spaßgesellschaft", in der jeder zu den Gewinnern zählen möchte, verliert das Theater der Unterdrückten an Bedeutung. Noch dazu ein politisch motiviertes Theater, daß keine Metaphern benutzt, sich keiner Verfremdungseffekte bedient, sondern seine Inhalte – zumal auch keine erbaulichen, weil mit Alltagsfrust befrachtet – bescheiden präsentiert.

Dennoch gaben 1992 Ruping/Vaßen/Koch das Buch „WiderWort und WiderSpiel" heraus, in dem sie sich „mit einem heute eher abwegigen Thema wie politisches Theater (...) beschäftigen" (Vaßen in:Ruping/Vaßen/Koch, 1992, 17). Und dies obwohl die Tendenz der Entpolitisierung, des Rückzugs und der Beliebigkeit auch im

Bereich von Theater und Theaterpädagogik gesehen wird. Hier wird die ambivalente Haltung des Autors deutlich:

> „(...) hatten wir doch auch ohne die einstige Gewissheit, dass Theater zur äs-
> thetischen Materialisierung von politischen Entwürfen oder zur Einübung in
> dialektisches Denken diene, immer noch den Anspruch, mit unserer Theater-
> Arbeit zu bewegen, zu initiieren, sogar – wenn auch begrenzt – zu verändern.
> Es ging also um Selbstbefragung und Kritik, um Verdeutlichung unserer Fra-
> gen und Zweifel, um Suche, aber auch Sichtung und Sammlung der vielen vor-
> handenen Ansätze.(...) Die „großen" widerständigen Entwürfe sind vorerst
> verabschiedet, positive Utopien sind rar und vielleicht auch fragwürdig ge-
> worden: stattdessen eine neue „Unübersichtlichkeit", vielerlei Aktivitäten (...)
> Es war bisher viel von politisch widerständigem Verhalten, von Kritik, Einmi-
> schen und Sichwehren die Rede, also von Gegenpositionen. Das klingt negativ,
> schmeckt nach der längst „erledigten" Funktionalisierung des Theaters und
> vor allem nach der alt bekannten „Mäkelei" an unserer gesellschaftlichen Si-
> tuation. Sollte Theater nicht vielmehr helfen, Theaterpädagogik vielleicht so-
> gar „heilen", also positiv wirken? Sicherlich, Theater soll Spaß machen und
> es macht Spaß. Beim Selber-Spielen, aber auch beim Zuschauen entwickeln
> sich Phantasie und Kreativität; der disziplinierte Körper kann aus seinem
> Panzer ausbrechen, alltägliche Ausgrenzung dann „gesellig" aufgehoben
> werden; lachen kann befreien. All das sind „Lebensgewinnungsprozesse", von
> denen in den abschließenden Thesen gesprochen wird. Gerade in der Konkre-
> tisierung im lebendigen Menschen liegt ja auch die besondere Chance für das
> Theater im Vergleich mit den ansonsten überall dominierenden audio-
> visuellen Medien. Seine einzigartige Präsenz soll sich auf „erfüllte" Gegen-
> wart beziehen, und das heißt, sie bleibt doch bezogen auf Kritik an uneingelö-
> ster Vergangenheit und auf Zweifel an einer fortschrittsorientierten Zukunft –
> und deshalb ist Theater Vergnügen und Unterhaltung, Lust und Genießen,
> aber eben auch WiderWort und WiderSpiel" (Vaßen in: Ruping/Vaßen/Koch,
> 1992, 17-19).

Und so taucht im letzten Kapitel neben vielfältigen theaterpädagogischen Experimenten auch das Theater der Unterdrückten als „szenische Spielversuche zur Habitus-Problematik zwischen Macht und Mut" wieder auf. Dabei handelt es sich um das bereits beschriebene Handlungsforschungsprojekt (siehe auch Kap 5.1.) von Schramm-Bülow und Gipser, die mit Hilfe der Techniken des Theaters der Unterdrückten den universitären Alltag darstellen und verändern wollen. Eingebettet in dieses Projekt erscheint das Theater der Unterdrückten nun als handlungsorientierte Form des Lernens - als wohltuende Alternative zu einseitigen Formen der Wissensvermittlung wie dem Referat – und gleichzeitig gewinnt es eine konkrete politische Bedeutung durch die Thematisierung des Hochschulalltags.

Während politisches Theater - und als das möchte ich das angeführte Beispiel bezeichnen – in den 60er und 70er Jahren die Ziele der außerparlamentarischen Opposition im Freien Theater zum Ausdruck bringen wollte, scheint hier das Theater der Unterdrückten bereits Eingang in die Institution Hochschule gefunden zu haben. Wobei eine starke Betonung auf der Stärkung des Selbstbewusstseins des einzelnen liegt, der sich nach der „strukturellen" Durchleuchtung seiner Situation und der Erprobung neuer Verhaltensweisen, besser behaupten kann. Das politische Theater der 80er Jahre leitet sich nicht mehr aus großen theoretischen Entwürfen ab, sondern sucht seine Berechtigung im alltäglichen Widerstand (vgl. Büscher in: Ruping/Vaßen/Koch, 1992, 192). Büscher zitiert hierzu Sudars:

> *„Unsere Generation ist geprägt von der Erfahrung des Verkommens revolutionärer Impulse in doktrinäre Kaderpolitik, vom Verläppern der seinerzeit als Zugeständnis errungenen Reformpolitik, von Massenarbeitslosigkeit, von der weltweiten blockübergreifenden Anstrengung zur besinnungslosen, kriegerischen und ökologischen Vernichung alles Lebens. Das sich in einer solchen Situation entwickelnde Lebensgefühl ist vor allem von Angst geprägt: pessimistisch, defensiv, voll kalter Wut. Die politische Haltung bleibt eine des Widerstandes, ist aber – und das scheint mir entscheidend – definitiv individualistisch" (Sudars, 1987).*

Auch im Bereich der politischen Bildung treffen nun Individualisierung, Subjektivierung und Suche nach Selbstverwirklichung mit neuen Formen der Selbstorganisation, Selbsthilfe und gesellschaftlichem Handeln im Nahbereich aufeinander (vgl. Heger u.a., 1983). In eine solche Art der politischen Erwachsenenbildung lässt sich das Theater der Unterdrückten bestens einfügen. Es setzt am Einzelfall an, ohne die gesellschaftliche Dimension aus den Augen zu verlieren. Es hat die Selbsthilfe zum Ziel und möchte dennoch politisch relevant bleiben:

> *„Die eingangs erhobene Forderung, die Erwachsenenbildung müsse den Bezug zwischen Individuum und gesellschaftlicher Realität herstellen, wird von Augusto Boals Theatermethoden programmatisch erfüllt: Ausgangspunkt des Theaterspielens ist immer die individuelle Problematik, im weiteren Verlauf wird dann die Bedeutsamkeit der überindividuellen, gesellschaftlichen Ebene für den konkreten Fall erschlossen" (Neuroth, 1994, 112).*

Neuroth ist was die politische Dimension des Theaters der Unterdrückten betrifft widersprüchlich. Zwar redet sie von der Bedeutsamkeit der „überindividuellen, gesellschaftlichen Ebene" (ebd.), jedoch hält sie Veränderungen über den privaten Bereich hinaus für überzogene Ansprüche (vgl. Neuroth, 1994, 116). Aus der Tatsache, daß die „Zeit der politischen Ideale" (Neuroth, 1994, 118) vorbei sei, zieht sie die Konsequenz, sich dem „Gebrauchswert" des Theaters der Unterdrückten zuzuwenden. Somit eignet sich das Forumtheater zur Öffentlichkeitsarbeit als auch zum Verhaltenstraining, zum Training argumentativer Kommunikation, zum Erwerb von Selbstbehauptungskompetenzen sowie rhetorischer und körpersprachlicher Ausdrucksfähigkeit (wie bereits in Kap. 7.2. erwähnt).

Die starke Betonung des Gebrauchswerts der Methoden des Theaters der Unterdrückten verlagert den einst politisch orientierten Schwerpunkt in Richtung einer „Sozialtechnik". Auch Letsch, der Initiator der Münchner Fachkonferenz „Legislatives Theater" 1997, stellt fest, daß das Theater der Unterdrückten hierzulande „zu anderen Dingen benutzt, in anderen Kontexten, anders, als es entstanden ist" (Letsch in: Korrespondenzen, 1999, 11) angewandt wird. Er verwendet die Methoden des Theaters der Unterdrückten in seiner eigenen Praxis mittlerweile auch in der betrieblichen Fortbildung, in der Teambildung, in Kommunikationsschulungen und in der Sozialwesenausbildung (vgl. ebd.). Dennoch bedauert er, daß nur in akuten Krisenzeiten „die Kraft der politischen Arbeit, die in der Methode (Forum-Theater) steckt" (ebd.) kurz angefragt wird, „aber nur von wenigen tatsächlich in ihre langfristige Arbeit übernommen" (ebd.) wird.

Angesichts der Entwicklung des institutionalisierten Theaters – „ein Klassiker-Wettstreit um Shakespeare, ein künstlerisches Kräftemessen jenseits von sozialer und politischer Realität" (Höbel in: Ruping/Vaßen/Koch, 1992, 112) – bleibt dem Theater der Unterdrückten die Chance, einer der wenigen Vertreter eines politischen Volkstheaters zu sein. Auch die Überbetonung des Ästhetischen wird angegriffen:

> „Es gibt genug schöne Schlagworte für den künstlerischen Stillstand in den drei vielbewunderten Schauspiel-Karthedralen des deutschen Sprachraums, und das Wort Ästhetisierung ist das griffigste. Jener Wille zur Schönheit, der Dieter Dorn in München, Peter Stein und Luc Bondy in Berlin schon seit Jahren umtreibt, hat nun offenbar auch von Theatermachern der Wiener Burg Besitz ergriffen (...) Mit hochartifiziellem Prunk, mit bis ins Detail ausgeklügelter Technik pflastert man dort den leeren Raum zu, anstatt ihn mit Inhalten zu füllen. Anders, polemischer gesagt: Das Theater, das wir in Wien, in München und in Berlin zu sehen bekommen, ist oft genug ebenso brillant wie leblos und hohl"(Höbel in: Ruping/Vaßen/Koch, 1992, 114/115).

Das Theater der Unterdrückten als politisches Theater wäre nicht auf Belehrung und Schulung der Zuschauer, sondern auf die Organisation einer kollektiven Erfahrung durch und mittels Theaterarbeit ausgerichtet (vgl. Streisand in: Ruping/Vaßen/Koch, 1992, 26). Foucault beschreibt eine Aufgabe für die politische Theaterarbeit, für die das Theater der Unterdrückten mit seinem Ansatz und seinen Methoden geeignet scheint:

> „Man frage sich also nicht, warum einige herrschen wollen, was sie anstreben, welches ihre globale Strategie ist, sondern wie die Dinge auf der Ebene des Unterwerfungsprozesses funktionieren oder in jenen kontinuierlichen, ununterbrochenen Prozessen, die die Körper unterwerfen, die Gesten lenken, das Verhalten beherrschen usw. Mit anderen Worten: anstatt sich zu fragen, wie der Souverän an der Spitze erscheint, sollte man schrittweise, tatsächlich, materiell, ausgehend von der Vielfalt der Körper, Kräfte, Energien, Materien, Wünsche, Gedanken usw. Subjekte konstituiert haben"(Foucault, 1978, 81).

142

8   Resümee

Bei der ausführlichen Beschäftigung mit der Entwicklung des Theaters der Unterdrückten und dessen Einbindung in erwachsenenpädagogische Konzepte des Lernens
und theaterpädagogische Zielrichtungen seit den 70er Jahren bis heute sowie bei dem
Versuch, das Theater der Unterdrückten im Vergleich mit anderen Theaterformen,
wie z.b. dem Lehrstück oder dem Psychodrama, in seiner theoretischen Bedeutung
als auch seiner praktischen Umsetzung besser zuordnen zu können, kam ich zu den
wie folgt erläuterten Ergebnissen. Leitender Gedanke meiner Überlegungen war, inwiefern sich das ursprünglich politisch motivierte Theaterkonzept Augusto Boals
durch die verschiedensten Einflüsse modifiziert hat und wie es sich in der heutigen
Theaterpraxis präsentiert.

Augusto Boal beginnt in den 50er Jahren mit seiner Theaterarbeit in Brasilien. Zu
dieser Zeit erwächst das Interesse junger Dramatiker, nationale Themen und aktuelle
Probleme der brasilianischen Wirklichkeit darzustellen. Angesichts der Vormachtstellung des kommerziell ausgerichteten Theaters, welches europäische Klassiker
und Boulevardtheater anbietet, erscheinen diese Versuche als Gegenmodell zum bür-
gerlichen Ästhetizismus. Die unter der liberalen Regierung von Präsident Goulart
entstandene Volkskulturbewegung in Brasilien Ende der 50er Jahre, Anfang der 60er
Jahre sieht ihre Aufgabe in der Thematisierung und Lösung von Klassengegensätzen.
Armut, Analphabetismus und Infektionskrankheiten zeichnen die soziale Situation
Brasiliens. In dieser gesellschaftlichen Situation übernimmt Augusto Boal 1956 die
Leitung des
Teatro de Arena und ändert dessen Konzeption: In einer Schauspieler- und Dramatikerwerkstatt werden nun Stücke über die brasilianische Realität gespielt und ge-
schrieben. Es findet eine Auseinandersetzung mit Brechts epischem Theater sowie
seinen Lehrstücken statt. Mit der aufklärerischen und pädagogischen Zielsetzung der
„conscientizacao do povo" möchte Boal einen Lernvorgang bei der Bevölkerung

auslösen, der nötig ist, um soziale, politische und wirtschaftliche Widersprüche zu erkennen und Maßnahmen gegen die unterdrückerischen Verhältisse zu ergreifen. Unter der Herrschaft repressiver Regimes in Lateinamerika entstehen nach und nach die Techniken des Theaters der Unterdrückten: Zeitungstheater, Unsichtbares Theater und Forumtheater. Sie zielen bewusst auf die Aktivierung der Unterprivilegierten, auf deren Aufklärung und Mobilisierung. Wesentliches Merkmal des Theaters der Unterdrückten ist die Auflösung der Trennung von Schauspielern und Zuschauern ähnlich der Pädagogik der Unterdrückten von Paulo Freire, die Lehrende und Lernende als gleichberechtigte Subjekte ansieht. Bei der Analyse der brasilianischen Theatergeschichte und der sozialen und politischen Situation Brasiliens, in die die Entstehung und Entwicklung des Theaters der Unterdrückten eingebettet ist, wird der ursprünglich politische Charakter deutlich, da er auf die Veränderung der bedrükkenden gesellschaftlichen Verhältnisse zielt. In der Konfrontation mit körperlicher Gewalt in Form von Folter und Unterernährung, bietet das Theater der Unterdrückten ein Übungsfeld zur Selbsthilfe in unterdrückerischen Situationen.

Bei der Weiterentwicklung der Boalschen Techniken im europäischen Kontext ist eine Verlagerung des Schwerpunkts des Theaters der Unterdrückten vom politischen in den psychosozialen Bereich festzustellen. Die Form der Unterdrückung in Europa ist subtiler und benötigt zu deren Thematisierung die Modifikation der bisherigen Techniken sowie die Entwicklung neuer Techniken wie es in der Diplomarbeit näher beschrieben wird. Jedoch ist die neueste Entwicklung des Theaters der Unterdrückten, das *Legislative Theater*, wieder eindeutig politisch orientiert. Das Spannungsverhältnis zwischen psychosozialer Theaterpraxis und politischer Bildung ist eine immerwiederkehrende Konstituente des Theaters der Unterdrückten.

Beim Vergleich mit Brechts Lehrstück und dem Psychodrama von Moreno lassen sich theoeretische und praktische Bezüge zum Theater der Unterdrückten herstellen. Auch andere alternative Formen theatraler Kommunikation, wie z.B. die Theaterarbeit Armand Gattis, weisen auf Parallelen in der Theaterpraxis hin. Gemeinsames

144

Merkmal der mit dem Theater der Unterdrückten vergleichbaren Theaterformen ist die Befreiung des Zuschauers aus seiner passiven Haltung hin zum handelnden Subjekt.

Bei der Beschreibung der Techniken Boals werden konkrete Beispiele aus der Theaterpraxis der 80er und 90er Jahre angeführt, um die Übertragbarkeit des ehemals lateinamerikanischen Theaterkonzepts in die theaterpädagogische Arbeit der BRD zu belegen.

Theaterarbeit mit Erwachsenen, die sich sowohl mit individuell als auch gesellschaftlich konflikthaften Situationen beschäftigt, wird als Möglichkeit angesehen, sich auf veränderte Bedürfnisse von Teilnehmern der Bildungsangebote in der Erwachsenenbildung im Zuge gesellschaftlichen Wandels einzurichten. Dabei kommt die Methodik des Theaters der Unterdrückten dem Bedürfnis entgegen, innerhalb eines immer komplexer werdenden gesellschaftlichen Gefüges, Identität auszubilden. Identitätsarbeit ist demnach ein pädagogisches Vorhaben innerhalb der Erwachsenenbildung, eigene Bedürfnisse und gesellschaftliche Erwartungen in Einklang zu bringen. Dabei ist festzustellen, daß sich das Theater der Unterdrückten nicht auf ein individuell-psychologisches Moment reduzieren lässt. Da das Identitätsproblem der Postmoderne darin besteht, Festlegungen zu vermeiden und sich Optionen offenzuhalten, zielt Identitätsarbeit mit Erwachsenen auf die Erhaltung psychischer und physischer Gesundheit unter ständig wechselnden Rahmenbedingungen. Es ist aber nicht im Sinne des Theaters der Unterdrückten, das Individuum an die Anforderungen der postmodernen Gesellschaft anzupassen, sondern ihm auch Möglichkeiten des Widerstands gegen unterdrückerische Situationen (auch im Kontext postmoderner Veränderungen) aufzuzeigen.

Das Theater der Unterdrückten passt sich mit seinem Konzept ebenfalls gut in eine zeitgemäße politische Erwachsenenbildung ein, die die kulturelle Dimension politischer Bildung aufwertet. Dies wird auch deutlich am wachsenden Interesse für das Alltägliche und die Alltagskultur. Dabei wird die Notwendigkeit gesehen, individu-

145

elles Denken, Fühlen und Handeln und gesellschaftliche Strukturen miteinander zu verbinden. Ästhetische Vorgehensweisen, wie die des Theaters der Unterdrückten, und politische Bildung überlagern sich hierbei.

Es ergibt sich ein interessanter Nebenaspekt des Theaters der Unterdrückten, Theaterspiel als „szenische Sozialforschung" - ähnlich der sozialpädagogischen und sozialpsychologischen Forschungsweisen - zu betrachten. Hier geht es um die künstlerische Erforschung der Alltagsmilieus wobei offene Formen des Theaters, wie es das Theater der Unterdrückten darstellt, zwischen „cultural studies" und Kunst angesiedelt werden können. Das Theater der Unterdrückten wird als „Forschungsinstrument" angesehen, mit Hilfe dessen das forschende Subjekt, seine gesellschaftlich-politische sowie soziale Situation durchleuchten kann. Am Beispiel des Handlungsforschungsprojekts „Der brüchige Habitus" an der Universität Hannover wird deutlich, wie sich pädagogische und politische Zielsetzungen und der Einsatz theatraler Techniken miteinander verbinden lassen.

Das Konzept lebenslangen Lernens steht im Spannungsverhältnis zwischen lebenslänglicher Anpassungszumutung an wirtschaftlich-gesellschaftliche Veränderungsprozesse und der Möglichkeit der Überwindung personaler und gesellschaftlicher Lernhindernisse durch die Bereitstellung flexibler und teilnehmerorientierter Lernangebote, wie es das Theater der Unterdrückten darstellt. Der lebenslänglichen Qualifizierung wird das demokratisch-emanzipative Potential lebenslangen Lernens gegenübergestellt. Bildungsangebote der Erwachsenenbildung, die durch Lebensweltbezug und Ganzheitlichkeit charakterisiert werden (wie z.B. ein Theaterworkshop des Theaters der Unterdrückten), werden an Vorstellungen von Bildung wie Selbstbildung, Selbstbestimmung und Entfaltung der Persönlichkeitsstruktur zu Mündigkeit und Verantwortung gebunden und schließen sich an einen aufklärerischen, allgemeinen Bildungsgedanken an.

Paulo Freires Pädagogik der Unterdrückten, auf die sich das Theater der Unterdrückten beruft, sieht in der Bildung einen lebenslangen Prozeß, der alle Bereiche

des Lebens miteinbezieht und der Menschen dazu befähigen soll, aktiv und verändernd in den Prozeß der gesellschaftlichen Entwicklung einzugreifen, d.h. sich selbst
als Subjekt zu sehen. Die von Freire abgelehnte depositäre Erziehung, die auf die
Anpassung der Lernenden an bestehende gesellschaftliche Herrschaftsverhältnisse
zielt, wird bei Freire durch einen Bildungsbegriff ersetzt, der die Bewußtmachung
der eigenen Lebenssituation als Problem und die Lösung dieses Problems in Reflexion und Aktion zur Aufgabe hat. Dabei wurde dargestellt, inwieweit Augusto Boal
Freires Prinzipien auf seine Theaterarbeit überträgt.

Die beschriebenen Ansätze des Theaters der Unterdrückten in der erwachsenenpädagogischen Praxis nehmen nicht für sich in Anspruch einen repräsentativen
Überblick der Anwendung dieser Methode innerhalb der Erwachsenenbildung in der
BRD zu leisten. Jedoch werden bei jedem dieser Ansätze die Methoden des Theaters
der Unterdrückten bewusst und zielgerichtet angewandt. Dabei ergeben sich folgende Bedeutungen des Theaters der Unterdrückten für die erwachsenenpädagogische
Praxis:

Das Theater der Unterdrückten erscheint als Konzept erfahrungsbezogenen Lernens
im Gegensatz zu instruktiven Lehrverfahren mit dem Ziel, kritisches Bewusstsein,
Selbstwertgefühl, Mut zur Selbstbehauptung und politisches Engagement zu fördern.
Auch lerntheoretisch konstruktivistische Überlegungen wie das Prinzip der Komplexität von Lerninhalten, das autonome Lernen durch authentische Interaktion im sozialen Feld und das Prinzip „Wirklichkeit" werden bei der Anwendung des Unsichtbaren Theaters erwähnt (vgl. Kap. 6.1.).

Die neueste methodische Entwicklung des Theaters der Unterdrückten - das Legislative Theater - wird versucht in der „Europäischen Fachkonferenz zum Legislativen
Theater" 1997 anzuwenden, wobei es sich, verglichen mit dem Legislativen Theater
in Rio de Janeiro, nur um einen symbolischen Akt handelt, da die rechtlichen
Grundlagen für die Verabschiedung von Gesetzen auf kommunaler Ebene in München weitaus begrenzter sind als in Rio de Janeiro.

147

Durch die Integration von Elementen des Theaters der Unterdrückten in den Fremd-sprachenunterricht versucht Daniel Feldhendler, den Bedürfnissen der Teilnehmer von Sprachkursen entgegenzukommen. Die von ihm mitentwickelte relationelle Dramaturgie bedient sich methodischer Verfahren wie dem Bildertheater und Fo-rumtheater Boals, dem Playback Theatre, soziodramatischer Arbeitsweisen sowie psychodramatischer Rollenspiele. Ausgangspunkt der relationellen Dramaturgie ist die Kritik am konventionellen Fremdsprachenunterricht. In diesem Zusammenhang werden die hohen Abbrecherquoten der Volkshochschulkurse erwähnt.

Das Theater der Unterdrückten - insbesondere die Methode des Forumtheaters -wird als Baustein der gewerkschaftlichen Schulung und Lehrerfortbildung angeführt. Hier werden individuelle Konfliktfähigkeit und politische Handlungsfähigkeit im kritisch-psychologischen Sinne als Lernziele formuliert, die die Basis für eine Durchsetzung gewerkschaftlicher Interessen bilden.

Die Interventionen des Centre du Théâtre de l'Opprimé in Paris innerhalb der Er-wachsenenbildung lassen folgende Zielsetzungen bei der Arbeit mit den Methoden Augusto Boals erkennen: Die Konfliktlösung in beruflichen Situationen (Supervisi-on, berufliche Fortbildungen) und die Stärkung von Selbstbewusstsein und Eigenak-tivität Unterprivilegierter wie z.B. den Langzeitarbeitslosen.

Im Bereich der Theaterpädagogik ergibt sich folgendes Bild:

Zunächst ist das Theater der Unterdrückten Anfang der 70er Jahre als Element poli-tisch-ästhetischer Bildung geeignet, politische Bildung zu unterstützen. Im Konzept der Interaktionspädagogik, die soziale Grundqualifikationen wie Empathie, Rollen-distanz, Ambiguitätstoleranz und Identitätsdarstellung durch Theaterspielen fördern möchte und deren sozial-kommunikative Zielsetzung sich in dieser Zeit oft mit einer politischen verbindet, stößt das Theater der Unterdrückten ebenfalls auf großes In-teresse.

148

Durch die Verlagerung der Perspektive vom Sozialen auf das Subjekt Anfang/Mitte der 80er Jahre geschieht eine Umdefinition des Begriffs vom sozialen Lernen zugunsten eines stärkeren Adressaten- und Subjektbezugs. Durch die Adaption der Methoden des Theaters der Unterdrückten in Europa fügt sich das Theater der Unterdrückten in diese Entwicklung ein. Boal widmet sich nun Formen „verinnerlichter" Unterdrückung, wie z.b. die Unfähigkeit zur Kommunikation mit anderen oder die Angst vor Isolation und Leere. Mit seiner Theaterarbeit will er nun zunächst am individuellen Einzelproblem ansetzen und auf eine Stärkung des Spieler-Subjekts zielen.

Jedoch bleibt die Umorientierung vom Sozialen auf den Intim- oder Innenraum des Subjekts nicht frei von der Anfang der 80er Jahre einsetzenden Kritik an einer interaktionistisch ausgerichteten Spiel- und Theaterpädagogik.

Der Entwicklung innerhalb der Theaterpädagogik, sich auf den ästhetisch-theatralischen Eigenwert des Theaters zu besinnen, verstärkt sich Anfang der 90er Jahre und ist beeinflusst durch den postmodernen Ästhetikdiskurs auch innerhalb der Erziehungswissenschaften.

Die Abkehr von interaktionistisch, politisch-emanzipatorischen und quasi-therapeutischen Konzepten wird mit der Einsicht begründet, nur begrenzt mittels rationaler Aufklärung erzieherisch auf gesellschaftliche Emanzipationsprozesse einwirken zu können.

Bei der Beantwortung der Frage inwieweit Boals Theateransatz eine Hinwendung zum Theater als Kunstform feststellen lässt, kann man zwar von einer „gewissen" ästhetischen Orientierung reden, deren geringfügiges Ausmaß jedoch keinen Zweifel daran lässt, daß die Überwindung von Repression und Anpassung Boals zentrales Thema bleibt. Sein Kunstbegriff bindet sich an moralische Standpunkte, politische Motive und an die leidenschaftliche Auseinandersetzung zweier Menschen auf der Bühne. Innerhalb der aktuellen theaterpädagogischen Diskussion aber erscheint das Theater der Unterdrückten als ästhetisch unbedarft.

149

Der politische Anspruch des Theaters der Unterdrückten wird als überzogen dargestellt und gleichzeitig wird er als einer der Vorzüge dieses Theaterkonzepts immer
wieder erwähnt. Dies belegt eine gewisse ambivalente Haltung innerhalb der theaterpädagogischen Diskussion. Daß eine Konzentration auf den Gebrauchswert des
Theaters der Unterdrückten im Sinne einer Sozialtechnik politische Intentionen ausschließt, ist entsprechend dem angeführten Handlungsforschungsprojekt von
Schramm-Bülow und Gipser nicht folgerichtig. Daß die künstlerische Form des
Theaters der Unterdrückten zu anspruchslos geraten kann, bleibt dennoch das Di-
lemma des Theaters der Unterdrückten in der zeitgenössischen Theaterpädagogik.

Trotz dieser Entwicklung gibt es immer wieder Ansätze, die sich mit der politischen
Relevanz und der kritischen Dimension des Theaters auch innerhalb der Theaterpädagogik beschäftigen. So z.B. das 1992 erschienene Buch „WiderWort und Wider-
Spiel", in dem auch das Theater der Unterdrückten nach wie vor seinen Platz und
seine Berechtigung findet.

Gerade auch im Hinblick auf die Entwicklung des institutionalisierten Theaters, die
durch Begriffe wie „Überästhetisierung" oder „inhaltliche Leere" gekennzeichnet
wird, ergibt sich für das Theater der Unterdrückten die Chance, ein dieser Entwicklung alternativ gegenüberstehendes politisches Ausdrucksmittel zu sein.

150

B Literaturverzeichnis

Adler, Heidrun (1982), Politisches Theater in Lateinamerika. Von der Mythologie über die Mission zur kollektiven Identität. Berlin

Adler, Heidrun (Hg.) (1991), Theater in Lateinamerika. Ein Handbuch. Berlin

Arnold, R./Kaltschmid J. (Hg.) (1986), Erwachsenensozialisation und Erwachsenenbildung. Aspekte einer sozialisationstheoretischen Begründung von Erwachsenenbildung. 1. Auflage. Frankfurt a.M./Berlin/München

Balby, Cleide Negrao (1997), Augusto Boal. Theatertheorie und Praxis unter besonderer Berücksichtigung des Legislativen Theaters. Magisterarbeit. (Institut für Theaterwissenschaft). Ludwig-Maximilians-Universität München

Bauer, Alexandra (1996), Forumtheater als Lernprozeß. Diplomarbeit. Georg-Simon-Ohm-Fachhochschule Nürnberg

Bauman, Zygmunt: Identitätsprobleme in der Postmoderne in: Widersprüche 55 (1995)

Beck, U./Beck-Gernsheim, E.: Individualisierung in modernen Gesellschaften – Perspektiven und Kontroversen einer subjektorientierten Soziologie in: Dies. (Hg.) (1994), Riskante Freiheiten. Frankfurt/Main. S. 10 ff

Beck, Ulrich (1986), Risikogesellschaft. Auf dem Weg in eine andere Moderne. Frankfurt/Main

Beck, Ulrich: Leben in der Risikogesellschaft in: Pluskwa/Matzen (Hg.) (1994), Lernen in und an der Risikogesellschaft. Bederkesa

Belgrad, Jürgen (Hg.) (1997), TheaterSpiel. Ästhetik des Schul- und Amateurtheaters. Baltmannsweiler

Birbaumer, Ulf (1981), Theorie und Praxis alternativer theatralischer Kommunikation am nicht-institutionalisierten Theater in Europa nach 1965 – Dargestellt am Beispiel der Theaterarbeit von Dario Fo, Augusto Boal und Armand Gatti. Habilitationsschrift. Wien

Boal, Augusto (1979), Theater der Unterdrückten. Frankfurt/Main

Boal, Augusto (1989), Theater der Unterdrückten. Übungen und Spiele für Schauspieler und Nicht-Schauspieler. Frankfurt/Main

Boal, Augusto (1996), Teatro legislativo. Versao beta. Rio de Janeiro

Boal, Augusto (1998), Legislative Theatre. London

Boal, Augusto (1999), Der Regenbogen der Wünsche. Methoden aus Theater und Therapie. Seelze (Velber)

Boal, Augusto: Una experiencia de teatro popular en el Peru. In: El Teatro Latinoamericano De Creatión Collectiva. O.O. 1974. S. 243 - 281

Bohn, E./Schröder S. (Hg.) (1988), Theater des Zorns und der Zärtlichkeit. Erfahrungsräume zwischen traditionellem Theaterbetrieb und alternativen Theaterprojekten. Bielefeld

Brauneck, Manfred (1998), Theater im 20. Jahrhundert. Programmschriften, Stilperioden, Reformmodelle. 8. aktualisierte Auflage. Hamburg

Brecht, Bertolt (1967), Gesammelte Werke in 20 Bänden. Frankfurt/Main

Brecht, Bertolt (1997), Die Stücke von Bertolt Brecht in einem Band. 8. Auflage. Frankfurt/Main

Bülow-Schramm, M./Gipser, D. (Hg.) (1997), Spielort Universität. 10 Jahre Lehr-/Lernprojekt „Der brüchige Habitus". Hamburg

Burmeister, Hans-Peter (Hg.) (1996), Was soll das Theater? 39. Kulturpolitisches Kolloquium. Loccumer Protokolle 8/95. Loccum

Dauber H./Verne, E. (Hg.) (1976), Freiheit zum Lernen. Alternativen zur lebenslänglichen Verschulung. Die Einheit von Leben, Lernen und Arbeiten. Reinbek

Driskell, Charles B.: An Interview with Augusto Boal in: Latin American Theatre Review 9/1 (1975). University of Kansas. S. 71-78

Dufeu, B.: „Haben und Sein im Fremdsprachenunterricht" in: Prengel, A. (Hg.) (1983), Gestaltpädagogik. Weinheim

Eberwein, Markus (1983) Das unsichtbare, anonyme Theater. Programmatik und Spieltechniken einer neuen Theaterform. Frankfurt/Main

Ehlert, Dietmar (1986), Theaterpädagogik. Lese- und Arbeitsbuch für Spielleiter und Laienspielgruppen. München

Feldhendler, Daniel (1992), Psychodrama und das Theater der Unterdrückten. 2. erweiterte Auflage. Frankfurt/Main

Feldhendler, Daniel, Das lebendige Zeitungstheater in: Addison, A.(Hg.) (1989), Gesprochene Fremdsprache. S. 129 ff. Bochum

Festival „Politik im freien Theater" Dresden 28.10. – 7.11.1993. Eine Dokumentation. Bundeszentrale für politische Bildung in Zusammenarbeit mit der Sächsischen Landeszentrale, der Stadt Dresden und dem Freistaat Sachsen

Fischer-Lichte, E. (Hg.) (1985), Das Drama und seine Inszenierung. Tübingen

Fischer-Lichte, Erika (1997), Die Entdeckung des Zuschauers. Paradigmenwechsel auf dem Theater des 20. Jahrhunderts. Tübingen/Basel

Forester, Horst (Hg.) (1994), Dokumentation der wissenschaftlichen Fachtagung vom 30.Okt. bis 1. Nov. 1992. Theoretische Grundlagen theaterpädagogischer Praxis in der kulturellen und ästhetischen Bildung dargestellt anhand exemplarischer Arbeit in Belgien, Holland, Kanada, Schweden, Türkei und Deutschland. Bundesverband Theaterpädagogik

Foucault, Michel (1978), Dispositive der Macht. Berlin. S. 81

Freire, Paulo (1982), Erziehung als Praxis der Freiheit. Beispiele zur Pädagogik der Unterdrückten. Hamburg

Freire, Paulo (1998), Pädagogik der Unterdrückten. Bildung als Praxis der Freiheit. Hamburg

Frey, Barbara (1989), Theater der Unterdrückten in Europa. Magisterarbeit. Universität München

Gautinger Protokolle (1998), Theater macht Politik. Die Methoden des Theaters der Unterdrückten in der Bildungsarbeit. Werkstattbuch. Institut für Jugendarbeit Gauting

Geißler, Kh. A.: Auf dem Weg in die Weiterbildungsgesellschaft in: Wittwer, W. (Hg.) (1990), Annäherung an die Zukunft. Zur Entwicklung von Arbeit, Beruf und Bildung. Weinheim/Basel. S. 161-188

Geue, Bernhard (1993), Entscheidungstraining in der Erwachsenenbildung. Problemlösen als Krisenbewältigung im Alltag. 1.Auflage. Baden Baden

Godde, Cornelia Susanne Anna (1990), Das Laienspiel als reformpädagogisches Element. Die Bedeutung Martin Luserkes für das heutige Bildungswesen. Bonn

Goffman, Erving (1963), Stigma. Prentice-Hall. Englewood Cliffs

Goffman, Erving (2000), Wir alle spielen Theater. Die Selbstdarstellung im Alltag. 8. Auflage. München

Goffman, Erving: Role distance in: E. Goffman (1966), Encounters. 3. Auflage. Indianapolis. S. 83-152

Griese, Hartmut (1976), Erwachsenensozialisation. München

Habermas, Jürgen (1968), Thesen zur Theorie der Sozialisation, Stichworte und Literatur zur Vorlesung im Sommersemester 1968, vervielfältigtes Manuskript

Heger, Rolf/Heinen-Tenrich, Jürgen/Schulz, Thomas (Hg.) (1983), Wiedergewinnung von Wirklichkeit. Ökologie, Lernen und Erwachsenenbildung. Freiburg

Henry Thorau: Das bürgerliche Theater unterdrückt uns. Ein Gespräch mit Augusto Boal in: Theater heute. Heft 12 (1978). S. 49 - 51

Hentig, Hartmut v. (1985), Ergötzen, Belehren, Befreien. Schriften zur ästhetischen Erziehung. München/Wien

Hentschel, U./Koch, G. (1995), Kerncurriculum Theaterpädagogik in: Korrespondenzen. Zeitschrift für Theaterpädagogik 11 (1995), Heft 23-25. S. 115ff

Hentschel, Ulrike (1996), Theaterspielen als ästhetische Bildung. Über einen Beitrag produktiven künstlerischen Gestaltens zur Selbstbildung. Weinheim

Herzog, Sybille (1997), Augusto Boals Zentrum des Theaters der Unterdrückten in Paris. Theaterarbeit in der Erwachsenenbildung. Münster

Holzapfel G./Röhlke G. (1993), „... man spielt, wie man ist, und merkt daran, wie man ist". Empirische Untersuchung zum Zusammenhang von Theaterarbeit, Arbeiterbildung und Lernen in der politischen Erwachsenenbildung. 3. unveränderte Auflage. Bremen

Holzapfel, Günther (1990), Aspekte politisch-kultureller Weiterbildung am Beispiel Theaterarbeit in: Kaiser, Armin (Hrsg.): Handbuch zur politischen Erwachsenenbildung. München, 2. Aufl., S. 143 – 157

Hufer, Klaus-Peter (1992), Politische Erwachsenenbildung. Strukturen, Probleme, didaktische Ansätze; eine Einführung. Schwalbach/Ts.

Jeske, M./Ruping, B./Schöller, E. (Hg.) (1993), Geschichte(n) der Theaterpädagogik. Zwischen Anspruch, Legitimation und Praxis. Münster/Hamburg

Kade, J./Nittel, D./Seitter, W. (1999), Einführung in die Erwachsenenbildung, Weiterbildung. Stuttgart/Berlin/Köln

Kade, Jochen (1992), Erwachsenenbildung und Identität. Eine empirische Studie zur Aneignung von Bildungsangeboten. 2. Auflage. Weinheim

Kade, Jochen/Seitter, Wolfgang (1996), Lebenslanges Lernen. Mögliche Bildungswelten. Erwachsenenbildung, Biographie und Alltag. Opladen

Kaiser, Arnim (Hg.) (1990), Handbuch zur politischen Erwachsenenbildung. Theorien – Adressaten - Projekte – Methoden. 2. Auflage. München

Kapp, Wolfgang (1996), „Theaterspielen" als Mittel zur Befreiung von Fremdbestimmung – Bausteine einer Theaterpädagogik für Erwachsene. Diplomarbeit. Pädagogische Hochschule Freiburg (Erziehungswissenschaft II)

Klafki, Wolfgang, Die Bedeutung der klassischen Bildungstheorien für ein zeitgemäßes Konzept allgemeiner Bildung in: Zeitschrift für Pädagogik 32 (1986), S. 455 – 476

Klein, Peter-Jürgen (1975), Theater für den Zuschauer – Theater mit dem Zuschauer. Die Dramen Armand Gattis als Mittel zur Initiierung humanen Verhaltens. Wiesbaden

Koch, G./Steinweg, R./Vaßen, F. (Hg.) (1983), Assoziales Theater. Spielversuche mit Lehrstücken und Anstiftung zur Praxis. Köln

Koch, Gerd (1988), Lernen mit Bert Brecht. Bertolt Brechts politisch-kulturelle Pädagogik. Erweiterte Neuausgabe. Frankfurt/Main

Koch, Gerd u.a. (1995), Theatralisierung von Lehr-Lernprozessen. Innovative Hochschuldidaktik, Band 14. Hochschuldidaktisches Zentrum an der Alice-Salomon-Fachhochschule Berlin. Schibri-Verlag: Milow

Korrespondenzen, Zeitschrift für Theaterpädagogik, Heft 23/24/25 (1995), Soziales Lernen und ästhetische Erfahrung.

Korrespondenzen, Zeitschrift für Theaterpädagogik, Heft 19/20/21 (1994), 10. Jahrgang, Brecht Lehrstücke

Korrespondenzen, Zeitschrift für Theaterpädagogik, Heft 2 (1986/87), ...
Lehrstück ... Theater ... Pädagogik ... Spielleiter, Boal, Brecht

Korrespondenzen, Zeitschrift für Theaterpädagogik, Heft 3/4 (1988), ...
Lehrstück ... Theater ... Pädagogik ... Arbeitsfelder der Theaterpädagogik

Korrespondenzen, Zeitschrift für Theaterpädagogik, Heft 34 (1999), 15.
Jahrgang, „Reflexionen Perspektiven 20 Jahre Theater der Unterdrückten in
Deutschland"

Korrespondenzen, Zeitschrift für Theaterpädagogik, Heft 1 (1985/86) ...
Lehrstück ... Theater ... Pädagogik ...

Krappmann, Lothar (1975), Soziologische Dimensionen der Identität.
Strukturelle Bedingungen für die Teilnahme an Interaktionsprozessen. Stuttgart

Krappmann, Lothar 1978 (1969), Soziologische Dimensionen der Identität. 5.
Auflage. Stuttgart

Lazarowicz, K./Balme, C. (Hg) (1993), Texte zur Theorie des Theaters.
Stuttgart

Lenz, Werner (Hg.) (1994), Bildungsarbeit mit Erwachsenen. München/Wien

Lenzen, D. (1989), Pädagogik – Erziehungswissenschaft in: Lenzen, D. (Hg.),
Pädagogische Grundbegriffe 2 Bde., Reinbek bei Hamburg. S. 1107-1117

Lerchl, Irmgard (1998), Das Theater der Unterdrückten nach Augusto Boal und
Möglichkeiten der Anwendung. Diplomarbeit (Fachbereich Sozialwesen).
Fachhochschule München

Letsch, Fritz (1997), Legislatives Theater. Zur Demokratisierung der Politik
durch Theater. Vorbereitungsmaterial für die Veranstaltungen 23. –27. Oktober
'97 mit Augusto Boal in München

Letsch, Fritz: Die Arbeit am Tabu. Lehren und Lernen mit Boal.
Werkstattgedanken in: Ruping, 1991. S.231

Meier, A./Rabe-Kleberg, U. (Hg.) (1993), Weiterbildung, Lebenslauf, sozialer
Wandel. Berlin

Menze, Clemens: Bildung in: Lenzen,D./Mollenhauer, K. (Hg.) (1983), Theorie
und Grundbegriffe der Erziehung und Bildung (Enzyklopädie
Erziehungswissenschaft Bd. 1). Stuttgart

Messerschmid, F. (1970), Die gesellschaftliche Funktion des Schulspiels in: Das Spiel in der Schule (1970), Heft 4. S. 146-154

Modellversuch „Darstellendes Spiel als Beifachstudium". Ernst-Moritz-Arndt-Universität Greifswald (1997), Darstellendes Spiel in Lehramtsstudiengängen an deutschen Hochschulen. Auf dem Wege zu einem eigenständigen Studienfach. Greifswald

Moreno, Jacob Levy (1988), Gruppenpsychotherapie und Psychodrama, Stuttgart

Müller, Andreas (Bericht und Interview), „Theater mit Traktoren", Abendzeitung vom 14.02.1974

Müller-Rolli, Sebastian (Hg.) (1988), Kulturpädagogik und Kulturarbeit. Grundlagen, Praxisfelder, Ausbildung. Weinheim/München

Nafzger-Gläser, Jutta (1994), Vom „Turmhahn" zum Trojaner. Die Erwachsenenbildung/Weiterbildung in der BRD von 1945 bis 1994 im Spiegel ihrer Zeitschriften. Frankfurt/Main

Neuroth, Simone (1994), Augusto Boals Theater der Unterdrückten in der pädagogischen Praxis, Weinheim

Nickel, H.W. (1972), Theaterrolle, Rollentheorie, Interaktionspädagogik in: Handeln und Betrachten, Materialien zu einer Theorie der Spiel-und Theaterpädagogik (1985), hrsg. vom Institut für Spiel- und Theaterpädagogik, Hochschule der Künste Berlin. S. 55-58

Nuissl, E.: Zur Krise der politischen Bildung in: Siebert/Weinberg (1987), S. 18-32

Olbrich, Josef (Hg.) (1980), Legitimationsprobleme in der Erwachsenenbildung. Stuttgart/Berlin/Köln/Mainz

Oppermann, Detlef (1999), Erwachsenenbildung im Wandel. Beiträge zu rechtlichen, strukturellen, regionalen und angebotsorientierten Veränderungsprozessen der Volkshochschularbeit. Frankfurt/Main

Rapp, Uri (1993), Rolle Interaktion Spiel. Eine Einführung in die Theatersoziologie. Wien/Köln/Weimar

Rassismus Prävention. Theaterarbeit in der Gießener Nordstadt. Ein Projekt der Theatergruppe Feuerkeim – Forum Courage e.V. in Zusammenarbeit mit dem Jugendbildungswerk der Universitätsstadt Gießen, o.A.o.J.

Rellstab, F. (1976), Stanislawski Buch. Wädenswil

Ritter, Hans Martin (1981), Theater als Lernform. Beiträge zur Theorie und Praxis pädagogischer Theaterverfahren. Studienmaterialien Spiel- und Theaterpädagogik Berlin

Ronald Hitzler/Anne Honer. Bastelexistenz. Über subjektive Konsequenzen der Individualisierung in: Beck/Beck-Gernsheim: Individualisierung in modernen Gesellschaften (1994). Frankfurt/Main. S.307 ff

Ruping, B./Schneider, H. (1994), Bildungskonzeption in: Korrespondenzen. Zeitschrift für Theaterpädagogik 10 (1994), Heft 19/20/21. S. 128-132

Ruping, B./Vaßen, F./Koch, G. (Hg.) (1992), WiderWort und WiderSpiel. Positionen und Tendenzen. Schriftenreihe der Bundesarbeitsgemeinschaft Spiel und Theater e.V., Band 1

Ruping, Bernd (Hg.) (1993), Gebraucht das Theater. Die Vorschläge von Augusto Boal. Erfahrung, Varianten, Kritik. 2. Auflage. Münster

Ruping, Bernd (1991), Gebraucht das Theater. Die Vorschläge von Augusto Boal. Erfahrungen, Varianten, Kritik. 1. Auflage. Lingen/Remscheid

Russo, Anna (1998), Bertolt Brecht und Dario Fo. Wege des epischen Theaters. Stuttgart/Weimar

Schepp, Heinz-Hermann (1990), Pädagogik und Politik. Zur Problematik der Demokratisierung in Schule, Hochschule, Politischer Bildung und Erwachsenenbildung. Bad Heilbrunn

Schlutz, E./Siebert, H. (Hg) (1987), Zur Entwicklung der Erwachsenenbildung aus wissenschaftlicher Sicht. Allgemeinbildung, Weiterbildung, Qualifizierungsoffensive, politische Bildung. (Universität Bremen Tagungsberichte Nr. 16). Bremen

Siebert, Horst: Geht die Erwachsenenbildung an der Lebenswelt vorbei? In: Schulz, Michael (Hg.) (1988), Gehen Bildung, Ausbildung und Wissenschaft an der Lebenswelt vorbei? München. S.147 -155

Spinner, Kaspar H. : Konstruktivistische Grundlagen für eine veränderte Deutschlehrerausbildung in: Frederking, Volker (Hg.) (1998)

Steinweg, Reiner (1976), Brechts Modell der Lehrstücke. Zeugnisse, Diskussionen, Erfahrungen. Frankfurt/Main

Steinweg, Reiner (1986), Weil wir ohne Waffen sind. Ein theaterpädagogisches Forschungsprojekt zur politischen Bildung. Nach einem Vorschlag von Bertolt Brecht. Frankfurt/Main

Steinweg, Reiner (1995), Lehrstück und episches Theater. Brechts Theorie und die theaterpädagogische Praxis. Frankfurt/Main

Süddeutsche Zeitung vom 25.08.1993, „Herodes lebt in Brasilien". Das politische Theater und die Aktivitäten des Augusto Boal. S.11

Thorau, Henry (1982), Augusto Boals Theater der Unterdrückten in Theorie und Praxis. Dissertation. Rheinfelden

Ulrich Beck/Elisabeth Beck-Gernsheim: Individualisierung in modernen Gesellschaften – Perspektiven und Kontroversen einer subjektorientierten Soziologie in: Dies. (Hg.): Riskante Freiheiten. (1994). Frankfurt/Main. S. 10 ff

Weintz, Jürgen (1998), Theaterpädagogik und Schauspielkunst. Ästhetische und psychosoziale Erfahrung durch Rollenarbeit. Butzbach-Griedel

Weiß, Reinald (1985), Bühne frei für eine politische Supervision. München

Wener, Leokadia K. (1991), Alphabetisierung und Bewußtwerdung. Mettingen

Wiegand, Helmut (1999), Die Entwicklung des Theaters der Unterdrückten seit Beginn der achtziger Jahre. Dissertation. Stuttgart

Wilde Bühne e.V. (Hg.) (1997), Theater in der Therapie - Arbeit mit ehemaligen Drogenabhängigen als kulturpädagogische Aufgabe, bearbeitet von Albert Kern.Geesthacht

Yablonsky, Lewis (1978), Psychodrama. Die Lösung emotionaler Probleme durch das Rollenspiel. Stuttgart

Zech, Rainer (1989), Handlungstraining in Konfliktsituationen. Forum-Theater. Soltau

Zeitschrift für befreiende Pädagogik, Heft 10 – 14 (1996/97), Es braucht Mut, glücklich zu sein ... Anwendungen des Theaters der Unterdrückten, Paulo Freire Gesellschaft München